萧乾　主编

新编文史笔记丛书

第一辑

3

海上春秋

顾廷龍题

◎上海市文史研究馆　编

●华道一　主编

中華書局

目录

序 …………………………………… 萧乾

政海波涛

张学良下野出国 ………………… 汤国桢 1
凤凰山有凤来仪 ………………… 冯英子 2
一幅漫画蒋、阎、冯 ……………… 张寿龄 3
蒋介石诱杀韩复榘 ……………… 王一民 4
周作民与政学系 ………………… 包谦六 6
吴佩孚诈取曲同丰 ……………… 张寿龄 7
刘玉春释放内幕 ………………… 龚张斧 8
抬柩督战怪事 …………………… 杜岷英 9

艺文掇拾

沈钧儒与周恩来诗书合璧 ………… 张仲蔚 10
王独清的一首无题诗 …………… 杜畏之 11
吴湖帆集句词 …………………… 张联芳 12
诗人陈小翠 ……………………… 钱悦诗 13

1905年抗美歌词《哀同胞》原稿 ··· 陆壮游 15
辛亥革命军歌 ························ 胡伯衡 16
颜惠庆挽张自忠殉国联 ··········· 李家暄 17
王云五悼念商务印书馆
　　七烈士的挽联 ················· 孙诗圃 18

文教史迹

伊斯兰师范学校 ···················· 沙善余 19
圣约翰大学的创建 ·················· 朱龙湛 20
上海圣芳济学院 ···················· 邢志远 22
我国最早之体育专门学校 ·········· 王瑜孙 23
上海油画院 ························· 丁　悚 24
南洋兄弟烟草公司选派留学生 ··· 陈其鹿 25

报刊旧闻

《申报》三次大补缺 ················ 周幼瑞 27
王进珊与《申报·春秋》 ············ 蒋星煜 29
上海报馆对"洪宪纪元"消极应付 ··· 杜岷英 31
"漫画会"会刊《三日画报》 ········· 季小波 32
坚持抗日反汪的《华美晨报》 ······ 赵南柔 33
反对封闭南京《新民报》的联名
　　抗议书 ························· 姜　豪 35

作家轶话

鲁迅与茅盾互任翻译 ·············· 沈　楚 37
鲁迅与茅盾亲密比邻 ·············· 沈　楚 39
鲁迅喜尝"野火饭" ················· 沈　楚 40

鲁迅先生的日常生活 …………… 王映霞 41
郭沫若到重庆中央大学演讲 …… 徐中玉 42
郁达夫的衣着 …………………… 王映霞 44
郁达夫的饮食 …………………… 王映霞 46
郁达夫的住所 …………………… 王映霞 47
郁达夫的行 ……………………… 王映霞 49
曾朴初识苏雪林 ………………… 朱　雯 51
包天笑轶事 ……………………… 徐碧波 53
林语堂谈读书法 ………………… 梁立言 55
洪深教授在复旦 ………………… 孙俊在 56
欧阳予倩离沪秘记 ……………… 陈梦熊 57
曹禺的情书 ……………………… 华道一 59
忆赵景深 ………………………… 庄一拂 60
张恨水轶闻趣事 ………………… 徐世勋 61
张天翼二三事 …………………… 陆印泉 62
邵洵美与项美丽 ………………… 章克标 64

书艺记趣

康有为法书与赝品并悬无锡
　　梅园 ……………………… 华道一 66
王蘧常与康有为 ………………… 富寿荪 67
张状元卖字趣闻 ………………… 徐润舟 68
于右任饭后挥毫 ………………… 吕学端 69
叶恭绰藏有秦桧字帖孤本 ……… 任书博 70
沈尹默与陈独秀 ………………… 富寿荪 70
钱名山书件作奁赠 ……………… 钱悦诗 71
从马公愚说到施剑翘 …………… 郑逸梅 72

名书家不同风格 …………………… 徐润舟 75
天台山农 …………………………… 金德建 76
邓散木粪、厕有缘 ………………… 林乾良 78

艺人雅集

三斤半绍兴酒 ……………………… 钱君匋 79
“花人会” …………………………… 周退密 80
千岁会 ……………………………… 蒋孝游 81
“新雅”是上海最早的文艺沙龙 …… 季小波 81
“腊雪斯”文艺舞厅 ………………… 季小波 83
清末上海的书画会 ………………… 丁　悚 84
上海早期的西洋画会 ……………… 丁　悚 85
忆“云天集”艺友聚餐 ……………… 华香琳 86

舞台沧桑

谭鑫培一气回北京 ………………… 罗亮生 87
“百代公司”对余叔岩前倨后恭 …… 罗亮生 88
梅兰芳爱乡情切 …………………… 王退斋 89
忆梅兰芳 …………………………… 何时希 91
张汉举做了梅兰芳的替死鬼 ……… 吴文漫 93
周信芳与江寒汀的友谊 …………… 曹用平 94
麒麟童嗜荤不喜素，盖叫天
　　嗜素不喜荤 …………………… 曹慧麟 95
盖叫天勇斗印度巡捕 ……………… 谭金霖 96
轿夫步法对程砚秋的启发 ………… 洪荆山 97
言菊朋、朱琴心曾入财政部 ……… 陈声聪 98
陈大濩到京拜师 …………………… 金玄木 99

刘宝全与杨宝忠 ………………… 金玄木 100
南方演员刘汉臣与高三奎之死 … 吴文漫 100
外国人演中国戏 ………………… 刘祈万 101
看白俄跳芭蕾舞 ………………… 秦瘦鸥 103
尼赫鲁与梅兰芳对古筝的欣赏 … 郭　鹰 105
王宝庆的苏州文书 ……………… 汤笔花 106
初访“鬼大王” ………………… 笑嘻嘻 107
张慧冲的一生 ………………… 汤笔花 109
天蟾舞台命名寓意 ……………… 曹慧麟 111
黄金大戏院的两副对联 ………… 刘祈万 111
上海戏园的变迁 ………………… 易海翁 113
火烧“新舞台” ………………… 汤笔花 114
上海舞台布景起源 ……………… 陈一萏 115
舞台的延伸 …………………… 张惠民 117

人物述林

瞿秋白避难茅盾寓 ……………… 沈　楚 118
恽代英在武汉 ………………… 熊连城 120
宋庆龄拒住重庆黄山官邸 ……… 翁泽永 121
王明爬绳梯 …………………… 杜畏之 122
张之洞手札谈章太炎事 ………… 薛明剑 123
章太炎巧遇蒋介石 ……………… 张令澳 125
章太炎为杜月笙撰《祠堂记》…… 张令澳 126
吴佩孚抵死不肯当汉奸 ………… 孙仲威 128
吕公望不准哈同造“罗苑” ……… 吕子韬 132
于髯老和“复盛居” ……………… 邓珂云 133
胡朴安病废读《易》解《易》……… 胡道静 134

蒋竹庄修学西藏密教“开顶法”……沈北宗 136
黄炎培装病进南京……黄汉文 137
马叙伦不当宦门赘婿……黄汉文 139
初见韬奋先生……周幼瑞 140
王造时书信沉浮……冯英子 142
我听过一次陈寅恪讲课……徐中玉 143
马思聪早晚练琴不辍……徐中玉 144
陈友仁女儿陈郁兰在苏联……孙 俊 146
吴稚晖抗战时期居重庆……吕学端 146
叶楚伧以酒代茶……冯英子 147
程沧波起草《七七文告》……吕学端 148

蒋介石掠影

蒋介石与《自反录》……翁泽永 149
蒋介石与帮会关系又一说……黄永言 152
“侍从室”人员称蒋介石为“先生”……黄永言 153
蒋介石拒受九鼎……任微音 154
蒋介石讲礼乐……徐世勋 155
“蒋中正胡适”与“蒋中正居不正”……张寿龄 156
蒋介石谈母教不谈父教……范锡品 157
蒋介石枪毙杨全宇……胡次威 杜岷英 157
蒋介石曾任剧场会计……胡恨生 158
蒋介石前妻毛福梅葬礼……王治平 159

豪绅录像

哈同借红缨帽……周退密 162
孔祥熙“哈哈孔”的来历……陆 诒 163

孔祥熙献金发脾气 …………………… 徐世勋 164
孔祥熙认“亲” ……………………… 戴广德 165
邵力子面斥孔祥熙 …………………… 徐世勋 166
虞洽卿行“善”有道 ………………… 高洪兴 167
杜月笙选祖宗 ……………………… 鹿　鸣 168
杜月笙名利双收 …………………… 高洪兴 169
杜月笙不住凶宅 …………………… 姜　豪 170
黄楚九待人有妙论 ………………… 孙　俊 171
黄楚九靠广告起家 ………………… 孙　俊 172
黄楚九专买假古董 ………………… 孙　俊 173
“多子大王”证婚忙 ………………… 姜　豪 173

“洋场”经济

清末民初三大金融风潮 ………… 朱龙湛 175
第一任汇丰银行买办 …………… 陈诒先 176
英美烟草公司 ………… 陈子谦　平襟亚 177
外商轮船公司在中国 …………… 余芷江 179
华孚金笔厂创办人周井亭 ……… 袁康年 180
无敌牌牙粉力挫中外同业 ……… 张惠民 181
第一次国货展览会及“国货路”
　　命名由来 …………………… 李修章 182
电影明星群穿土布旗袍 ………… 汤笔花 183
上海广告用语杂忆 ……………… 华道一 184
老正兴的酒壶 …………………… 钱剑夫 185
人力车史话 ……………………… 孙金镇 186

后　记 ………………………………… 189

序

萧　乾

读书界向来对野史有所偏爱。野史大多是信手拈来的历史片断，且往往出自亲历者之手。文直事核，不虚美，不隐恶，而文笔潇洒自如，意味隽永，自然朴实，篇幅不长；可以摊开来仔细咀嚼，也可供茶余酒后、行旅倥偬中，随手浏览。

鲁迅在《华盖集》中，曾几次对野史表示过好感。在《忽然想到》一文中写道：“历史上都写着中国的灵魂，指示着将来的命运，只因为涂饰太厚，废话太多，所以很不容易察出底细来。正如通过密叶投射在莓苔上面的月光，只看见点点碎影。但如看野史和杂记,可更容易了然了,因为他们究竟不必太摆史官的架子。"又在同书《这个与那个》一文中说:"野史和杂说自然也免不了有讹传,挟恩怨,但看往事却可以较分明,因为它究竟不像正史那样地装腔作势。"

全国文史研究馆所编的《新编文史笔记》丛书,内容也属野史杂说的范畴。我们希望这些以亲闻、亲见、亲历为主的轶事掌故、琐闻杂记,写人、事而摒除误会曲解,述历史而符合真实面目。

作为一种短隽有味,文字清奇而又雅俗共赏的文学体裁,笔记在中国具有悠久的传统。它始自魏晋,盛行于宋代。南朝刘义庆的《世说新语》,北宋沈括的《梦溪笔谈》,南宋陆游的《老学庵笔记》,明朝张岱的《陶庵梦忆》,清朝纪昀的《阅微草堂笔记》以及20世纪30年代初丰子恺的《缘缘堂随笔》,都是文学史上的奇葩。然而,近年来笔记乏人问津。因此,我们出这一套书,也包含着挽回颓势之意。

全国三十二所文史研究馆拥有雄厚的稿源,两千多位馆员和各馆联系的社会人士,都是丛书的撰稿人。他们都是文史界的耆宿,见多识广,阅历丰富:有的反对过帝制,有的在"五四"运动中扛过大旗,他们目睹过军阀的横行霸道,也经历过艰苦卓绝的八年抗战。这些历尽沧桑的饱学之士,他们的所见所闻,都是弥足珍贵的史料。

本丛书分辑出版，分别由各地文史研究馆编辑，内容亦以本乡本土为主。因此，各册势必具有浓厚的地方色彩。

本着笔记固有的传统，所收各文题材不嫌庞杂。举凡与文史有关的政治、经济、军事、文化、社会等方面，或记闻见杂事，或叙往昔交游，或忆社会百态，均在搜罗之列。时间跨度则自清末以迄1949年为止。这正是中华民族从闭关自守到走向世界，从落后羸弱到奋发图强，是天翻地覆、风起云涌的大半个世纪。其间，发生过多少可歌可泣的事迹，涌现过多少杰出的人物。以这一时间跨度为背景题材写出的笔记作品，必然是内容最为丰厚的。

在选稿标准上，我们坚持史料一定要真，内容要新；既要防止以讹传讹，也力避炒冷饭。在写法上务求短小精悍、生动活泼。每篇以千字为度，希望借此在文风方面，提倡一下简约。在版式上，则想做到既利于阅读，又便于携带。

恳切希望文史界方家及广大读者，不吝赐正。

张学良下野出国

汤国桢 遗作　戴广德 整理

1933年初春,长城抗日战役之后,蒋介石约张学良在保定会晤。张从北平乘专车到达保定车站时,蒋介石的专车已停在站台东边。当张的专车刚停下来,蒋下车向张的专列走来,张也即下车。蒋到车旁,含笑点头,举右手示意张学良下车。于是他们相偕上了张的专车,在客厅内坐定。蒋介石便开门见山说:"汉卿,你还是休息休息吧。"又习惯地"嗯"了几声。张回答:"好。"他们不曾谈论什么具体问题,没有几分钟工夫,蒋即下车,张送蒋上车后回到自己的车上。两列专车分向南北驶去。

张学良奉命“休息”,丢掉了军事委员会北平分会委员长的职务。我当时是张的随员,当张的专车在回北平途中时, 我和同行的平津卫戍司令王树常坐在客厅里沉默寡言。张见状大笑,走过来拍拍我的肩膀说:“这一点事就沉不住气啦。”

张学良卸职后即飞往上海,准备出国。在上海疗养院戒绝了鸦片嗜好,偕于凤至、赵一荻、一女三子、北平军分会外事组长沈祖同、秘书李应超夫妇、英籍顾问端纳及其继室高格兰夫人、伊雅格夫妇和男女工友各一人, 乘意大利豪华邮轮远渡重洋。

凤凰山有凤来仪

冯英子

抗日战争时期, 张学良将军一度被囚禁于湖南沅陵。沅陵为湘西之首府,沅水穿过市区,酉水自此与沅水交汇,故形势亦甚雄壮,足以与武汉三镇媲美。

沅水边上之凤凰山,山有古寺,风景绝佳。张学良将军即被囚禁于此。顾国民党新闻封锁严密,沅人咸不知此事。新闻界人士中,虽有知其事者,亦格于禁令,不敢形诸笔墨。

某日，张夫人于凤至来沅陵探望张将军，报纸奉命不得登载此消息。时长沙报人朱德麟先生在沅陵办一《卡麦斯》报，乃为文曰“凤凰山有凤来仪”，以暗示于凤至之至凤凰山。

自《凤凰山有凤来仪》发表后，张氏消息，终于渐为人知，国民党惧生不测，乃以之移往贵州息烽。

一幅漫画蒋、阎、冯

张寿龄

1930年冯玉祥、阎锡山联合倒蒋，展开了一场为时半年的中原大战。我当时在西安，任冯军后方总司令部参谋长。战幕拉开时，冯驻在陇海路线上罗王镇的一个土寨里。有一次我去看他，他邀我们一起到寨外一个打谷场上席地而坐，共进午餐。适他派往山西负责联络的陈继淹到来，也坐下来一同就餐。陈在向冯汇报时谈到：“北京的小报上刊登了一幅漫画，上面画着三个人。一个是蒋介石，一个是阎锡山，一个是总司令您（指冯）。每个人的两只手里各拿着一件东西。蒋的左手拿着‘钱’，右手拿着‘官’。阎的左手拿着算盘，右手拿着手榴弹。总司令，您左手拿着个窝头，右手拿着把大刀。”冯听罢笑着说：“真缺德！”

此事当时虽当作笑话听了，但此画对那次中原大战却是个极大讽刺。大战的结果，冯的某些部属经不住蒋介石“钱”和“官”的诱惑而叛冯投蒋。阎锡山一贯“保本主义”，对原来承担的冯军粮秣支援，竟自食其言，引起冯军将领们的愤慨而失去协调。遂使蒋获全胜而冯阎惨败。

蒋介石诱杀韩复榘

王一民 遗作　戴广德 整理

抗日战争之前，蒋介石同山东“土皇帝”韩复榘之间的矛盾尖锐。1937年，抗战开始，韩复榘不想抗日，只想保存实力，擅自退却，致使山东沦陷。蒋介石乘机诱杀韩复榘。

1938年1月7日，先由第五战区司令长官李宗仁在徐州召开军事会议，第三集团军总司令韩复榘，当然是参加会议的一个重要角色。当时韩对李印象不错，接到会议通知，未存顾虑，即由济宁乘钢甲车来到徐州。其实这是蒋介石精心策划“调虎离山”之计，连李宗仁也被蒙在鼓里。

当韩复榘抵达徐州次日，蒋介石从汉口发来定于1月11日在开封召开重要会议的急电。李宗仁要在徐州举行的军事会议亦受到影响，只得去开封参加会议了。蒋介石的来电列有四十五个出席会议的高级将领名单，既有韩复榘，也有韩的惟一心腹部下、第十二军军长兼第二十师师长孙桐萱。韩当时虽有迟疑，但觉得这样大的军事会议，不会出岔子，而本人已到徐州，且和李宗仁等一起去，又不能有所托词，何况还有自己的一个军长孙桐萱和一个手枪营保护同往，也就不起什么怀疑，同李宗仁、孙桐萱等同去开封了。

韩复榘于1月9日到达开封，住在黄河水利委员会委员长孔祥榕的公馆里，他的一营卫队留在钢甲车上。11日下午7时，蒋介石在河南省政府召开高级将领机密会议。韩复榘同孙桐萱等同坐汽车到了省政府。下车后走到第二道门口，左旁屋门上贴着“随员接待处”，于是韩复榘带去的三个卫士和孙桐萱带去的一个卫士，都留在接待处了。韩复榘同一些参加会议的将领来到“副官处”，见到有些将领按照副官处旁贴着“奉委座谕：为慎重计，所有到会将领，不可携带武器进入会议厅”的规定，纷纷从腰间掏出手枪，交给副官处临时保管。韩复榘也不疑有他，将两支手枪交出。

在会议厅里，韩复榘的座位左边是刘峙。蒋介石亲自主持会议，一开口就说：“我们抗日是全国一致的，这是我们每一个将领义不容辞的责任。可是竟有一个高级将领放弃山东黄河天险阵地，违抗命令，连失数座城市，使日寇顺利进入山东，影响巨大。山东韩主席不发一枪，从

黄河北岸，一再向后撤退，继而放弃济南、泰安，使后方动摇，应当承担全部责任。”韩复榘顶上去说：“山东丢失是我应负的责任，南京丢失应由谁负责呢?”蒋介石正颜厉色地截住韩复榘的话：“现在我问的是山东，不是问南京。南京丢失，自有人负责！”韩还想开口反驳，刘峙拉着韩的手说：“向方(韩复榘的号)，委座正在冒火，你先到我办公室里休息一下吧。”于是，拉着韩复榘走出会议厅。刘峙假亲热地拉着韩的手走到院内，指着一辆轿车说：“坐上吧，这是我的车子。”韩上了车，刘说：“我还要参加会议去。”说时把车门关上。车内两人出示逮捕证给韩看，戴笠、龚仙舫押韩至汉口。随即组织军法会审，韩对所问不遵命令，擅自撤退，在山东强索民捐，侵吞公款，搜缴民枪，强迫鲁民购买鸦片等罪状，一言不发。1月24日晚上，韩复榘被处决，身中七枪。

周作民与政学系

包谦六

30年代，周作民任金城银行总经理，后以民间金融巨头，历兼国民党政府财经要职。他与政学系几位巨头，关系密切，渊源很深。他和张群、吴鼎昌都是留日同学时期的好友，和吴更是同宿舍同房间。回国以后，张玩政治，吴亦官亦商，周专搞金融，几个人紧密结合。人家说政学系一天不倒，周作民是倒不掉的。就我在金城银行工作时所知，有几件事可谈：

(一)抗战时期，政学系要人张公权之妻在沪病故。张本人远在内地，家事无人照顾，周一送奠仪就是储备券二百万元(约合抗战前几万元)。

(二)抗战胜利初期，张群奉派去美。当时政府外汇不多，公费有限，金城银行开送美金十万元汇票一张，以壮行色。

(三)吴鼎昌在香港病死，那时南京政权临近垮台，银行本身已成强弩之末，周还发起由“北五行”每家强筹奠仪美金二万，合成美金十万送给吴家(按“北五行”是金城、盐业、中南、大陆及四行储蓄会)。

解放后，周从香港回沪，在行中开一个大会，报告一切。说我行因同人的努力，几十年来赚钱不少，但也经过许多危难。为了维持银行，把积余全用光了。算对职员们作了一个总交代。

吴佩孚诈取曲同丰

张寿龄

1919年发生了直、皖两系军阀战争。直军指挥官为吴佩孚，皖军指挥官为曲同丰。两军在京

汉铁路北段的琉璃河隔河交战。直军在河之南，皖军在河之北。皖军系西北边防军第一师部队，装备优于直军。吴佩孚深感强渡进攻牺牲太大。于是特派专使诈称与曲求和，并邀请曲过河面谈。曲信以为真，贸然前往，被吴扣留。同时吴令直军发起猛攻。当时皖军官兵闻听和谈消息警备松弛，在直军的突然袭击下惊惶失措，且主帅被扣，群龙无首，终至不战自乱而惨败。

刘玉春释放内幕

龚张斧 遗作　周退密 整理

1926年10月10日，国民革命军唐生智部攻占武昌，吴佩孚部下守将防守司令师长刘玉春与湖北督军陈嘉谟同被俘获。因刘闭城四十天，死守顽抗，致居民饿死数千人，民愤极大，要求枪毙他俩，而对刘尤为痛恨。当局因此组织军法审判委员会，以司法部长徐谦为审判长，审判陈、刘。陈嘉谟态度尚好，承认不应久闭城门。刘玉春则坚持己见，说守城为军人天职，并举傅作义守冢州至半年之久为例，不肯认罪，开庭几次并未判决。后又搁置了几个月，还是释放了。当时唐生智任国民革命军第八军军长，以为吴佩孚尚有残余势力，对降将不宜过严。也有人以为刘玉春并未接受和平条件，不应再援用许以不死之条件，终以唐坚持甚力，又经汉阳投诚师长刘佐龙代为说情，终使刘得以不死。

抬柩督战怪事

杜岷英 遗作　彭古丁 整理

军阀割据时，四川连年内战。刘湘部下第三师旅长李琬兰，素以善战闻名。李在川滇之战阵亡，可是他的师部仍把他的灵柩留在军中作战。每当前线动摇，就把它抬出督战，以“稳定阵脚”。士兵在他的柩抬去时，无论伤亡多大，仍坚持不退却。这样辗转经年，一直把滇军驱逐出境，取得最后胜利才安葬。这在内战史上，也是怪事。

沈钧儒与周恩来诗书合璧

张仲蔚

1944年10月11日，郭沫若在重庆欢宴柳亚子，沈钧儒亦在座。适逢周恩来自西北来，参加同饮甚欢。二十天后，沈乘竹舆下神仙口，望见南山，忽忆前事，因成一律。诗云：

经年不放酒杯宽，雾压山城夜正寒。
有客喜从天上至，感时惊向域中看。
新阳共举葡萄盏，触角长惭獬豸冠。
痛哭狂欢俱未足，河山杂沓试凭栏。

署诗题《经年》。周恩来见而爱之，亲笔缮

写，悬于寓内，堪称珠联璧合，不知今尚保存否？

王独清的一首无题诗

杜畏之

王独清从中国文坛上消失已经六十年了。但在20世纪20年代，他却是一位颇负盛名的诗人。当年，他发表的全是新体诗，旧体诗难得看见。而他的旧体诗却是很不错的。记得1930年春季，我在上海艺术大学任课，他曾抄一首七律给我看。这是一首无题诗，怀念一位在日本读书时的女友。诗如下：

明　镜

明镜何须忆笑颦，一颦一笑忆来真。
红儿开靥轻障袖，西子捧心小坠巾。
秋月今悬白画扇，春风旧染绛歌唇。
十年梦幻留何物？觉后情怀劫后身。

一片迷惘之情，深得无题诗三昧。我很喜欢这首诗，所以六十年后的今天，还能记得。他也曾抄过别的诗给我看，但都不记得了。

在这里，附带说说王独清之为人。他是一个非常纯朴而天真的人。我们相识时，他已三十岁，却还像一个小孩子。正因为太天真，不善于趋避，所以才被挤出文坛。他在极端孤独清苦的

生活中熬了十年。1940年,孤单单地病死在上海西区一个亭子间里。一代诗人就这样默默地离开人间。当年还只四十岁,没有子女。杜工部《天末怀李白》诗,有几句话可借来追悼王独清:

文章憎命达,魑魅喜人过。
应共冤魂语,投诗赠汨罗。

吴湖帆集句词

张联芳

吴湖帆是名闻中外的江南杰出书画家,富收藏,精鉴赏。早在30年代就有三吴一冯之说。三吴者,即吴昌硕、吴湖帆、吴待秋;一冯者,冯超然。四人都是国画大师,名扬中外。现在上海博物馆珍藏的名画中,例如四王、八怪的精品,多有吴湖帆的亲笔跋识。

世人只知道他的国画是艺坛圣手,殊不知他在绘事书法之外,对于宋元词曲,也有深湛的研究。1948年7月,吴氏梅景书屋出版《联珠集》,刊词60阕,全是吴氏集宋元人词句而成。除自序外还有夏敬观、汪东的两篇序;门人徐邦达为之跋。自序说,25岁时因看到吴瞿安先生为其题南北合套曲十首,引起他爱好词曲的兴趣。甲子(1924)迁居上海,得识朱彊村、冒鹤亭、夏剑丞、叶遐庵诸先生,聆谈词学,于是搜读历代词集，摘拾昔贤词句，历时十数年，集成这六十首集句词。所集不是一般的小令，多数是慢词长调。清时秀水朱竹垞虽有集句词《蕃锦集》，不过是掇拾唐人诗句移填成和律诗相近的小令。集诗还比较容易，集词要达到浑然天成如同自己创作，实在太难。吴湖帆在绘画之余，有此杰作，其才华确非一般人所能及。

诗人陈小翠

钱悦诗

陈璻娜，字小翠，杭州人，天虚我生陈蝶仙之女。擅长诗画，幼年即蜚声艺坛，所作仕女画，清雅秀丽。诗集《翠楼吟》，更多佳作。先父名山公赏识她的才气，曾有诗云：“老子目光高一世，连朝击节翠楼吟。”先父七十岁寿辰，她前来祝寿，并有贺诗，可惜我已记不清了。先父逝世二十周年纪念，她尝作七律三首。

其　一

海上曾闻击磬吟，门墙松柏尚森森。
人生九十何尝老，诗教千秋一往深。
家国倾危观定力，文章生死愧知音。
两间正气成河岳，谁识名山万古心。

其　二

东来寇盗记相侵，伤尽孤松岁暮心，
垂死相逢三问道，百年知己一沾襟。
从心书画萧斋竹，正面文章杜老吟。
欲向桃源奠杯酒（先父生前住处名桃源村），杏坛人散雨阴阴。

其　三

七十荒村老布衣，王师未报已长归。
逢人每说陈芳国，有鸟犹呼丁令威。
下士著书能贾祸，余生缄口莫论诗。
年来双鬓如公白，流水高山负所师。

又书后一首：

龙门天半望星辰，记访桃源问隐沦。
珍重怜才旧时意，不辞辛苦作诗人。

小翠因有才名，又因其父营家庭工业社，故在“文革”中受累自尽，哀哉！

小翠有女名汤翠雏，为油画大师颜文樑入室弟子，今侨居法国巴黎。

1905年抗美歌词《哀同胞》原稿

陆壮游

1905年5月10日,上海商学界为抗议美国虐待驱逐华工,通电全国抵制美货,举国上下无不义愤填膺,爆发出一片救国爱国呼声。当时我父陆苏畦用江南民歌《好朋友调》谱写《哀同胞》歌,唱起来琅琅上口,通俗易懂,传诵全国。各报纷纷转载。解放后中国科学院《近代史资料》及阿英主编的《反美华工禁约文学集》和1960年6月3日《人民日报》均转刊此歌。但由于辗转传抄,有的将原文漏掉几句,有的刊错几字。所幸家父自编遗墨,被埋在屋角中,解放后为江葆孙先生发现交还给我,虽已烂去纸边,但原文未损。现抄录如下,供专家参考。

哀同胞

(光绪三十一年乙巳　1905年　好朋友调)

其　一

哀同胞,哀同胞,死期将到了,死期将到了。外人手段狡复狡,屠我不用刀,灭我不用枪与炮,暗中布置巧。绝我生机盬我脑,试看美约森森令人魂胆消。

其　二

哀同胞，哀同胞，受毒原非小，受毒原非小。飘洋渡海程途杳，空求生计好，横来苛虐苦无告，波及士与商。自家性命都难保，最怜饮泣吞声木屋囚徒老。

其　三

哀同胞，哀同胞，大家休要躁，大家休要躁。振起国民四百兆，结得团体好，始终不被白人笑，热血涌如潮。生死关头争一秒，那怕大西洋里风急浪头高。

辛亥革命军歌

胡伯衡 遗作　戴广德 整理

我在辛亥革命时期，曾任革命第六军军长柏文蔚所部独立第一营书记长。兹录当时我们唱的军歌歌词如下：

一

战友们，大家起来，唱个歌儿听。自古至今，浑浑浑，兴灭无定准。那怕它，弹雨枪林，杀敌不顾命。两军阵前，勇勇勇，各现真本领。把一片爱国心肠，宗旨拿得定。两军阵前，勇勇勇，杀敌最光荣。

二

方今，五洲民气正方旺，反帝排满战士忙。试看，英帝本质如虎豹，鸦片侵华罪难逃。试看，日本区区三海岛，殖民华东和青岛。试看，印度国土本非小，英帝殖民真苦恼。

大家起来，唤醒同胞，誓雪国耻，收回领土，立志战斗到老，立志战斗到老！

颜惠庆挽张自忠殉国联

李家暄

抗日将军民族英雄张自忠在鲁南战役中为国捐躯，世称忠烈。颜惠庆曾有挽联云：

随枣之役，胜利之基。日月俪丹忱，连捷雄风青史在。　长城而后，转战而死。河山凝碧血，从来名将白头稀。

其人其事，丝毫不爽，立功立言，两相映发，诚可谓要言不烦。

王云五悼念商务印书馆七烈士的挽联

孙诗圃

上海工人第三次武装起义中，商务印书馆地处华界闸北宝山路，东方图书馆、商务印书馆工人俱乐部和北火车站等处，都是北洋军阀驻兵重点。商务印书馆职工参加起义牺牲的有：徐文思、胡休根、王金有、俞敬忠、余茂宏、赵延经、陈安芳(女)等七烈士。起义胜利后，于同年(1927)4月23日在东方图书馆和商务工人俱乐部（时已成为上海总工会工人纠察队总指挥部)的广场召开了隆重追悼大会，王云五先生所赠挽联是：

为四百兆同胞争自由，舍生取义；

踵七十二烈士以奋斗，杀身成仁。

伊斯兰师范学校

沙善余 遗作　华道一 整理

1927 年,“中国回教学会”在上海创立“伊斯兰师范学校”,其主要目的在培养翻译伊斯兰经典和传教布道的人才。该校课程有国文、阿拉伯文、英文、古兰经学、圣谕学等科。校址初设于小桃园清真寺内,1930 年移至“回教学会”在青莲街新建大厦的三楼。创办时住校肄业的学生共四十五人,来自各省。有从甘肃、云南等远道而来的,都是汉文通顺并略谙阿拉伯文的回族青年。该校不收学费,并供给学生膳宿和书籍文具等费用。

该校办理数年后曾选择成绩优异的学生资送埃及开罗留学，这是中国学生留学开罗的开始。上海先后共派出留学生三批，多数学成回国。如解放后曾任北京大学教授的马坚，即是首批留学生之一。

1937年抗日战争发生，上海南市沦陷，该校不得不宣告停闭。从此师生星散，伊斯兰师范学校不复存在了。学生离校后多被各地清真寺聘为教长，在上海任教长的就有三人，还有任中学教师的一人。

圣约翰大学的创建

朱龙湛

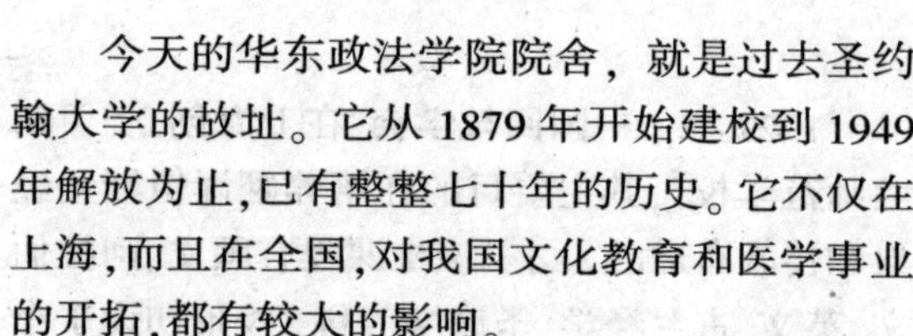

今天的华东政法学院院舍，就是过去圣约翰大学的故址。它从1879年开始建校到1949年解放为止，已有整整七十年的历史。它不仅在上海，而且在全国，对我国文化教育和医学事业的开拓，都有较大的影响。

最早立意创办该校的是施勒楚斯基(Schers Chewsky)主教，中国人称他为施主教。他是犹太人，生于欧洲立陶宛，信仰基督教，通晓五国语言文字。据说他在美国启程来华时，才开始学习华语，经过在轮船上一个多月的学习，到达中国后的第一个星期日，就能用华语讲道。

学校的主楼取名“怀施堂”，就是纪念他的意思。该楼朴实巍峨，楼顶安放着一座大钟，钟比江海关的大钟还早，是全国有数的大钟之一。校舍虽是西式建筑，但为要保存中国房屋的特点，屋顶四角作曲线形，后来各地的民族形式大屋顶建筑，实由“约大”开其端。在该校五十周年时，楼旁加刻了两副对联：

淞水钟灵，英才乐育；

尼山知命，声教覃敷。

环境平分三面水；树人已丰百年功。

美国基督教会最初主张将该校办在山东烟台，认为地点、气候、海口，都很适合，宜于读书。后来发觉在上海传教已有一定基础，遂决定在沪开办，屡经在虹口等地选择校址，施均不惬意。最后有人介绍梵皇渡附近一块空地，广袤八九十亩，适在苏州河的大转弯处，形成了苏州河的一个半岛，施一见大喜，就决定在这里施工建校。

那时中国人佐助办校者，主要有颜永京牧师(颜福庆、颜惠庆的父亲)等，不断引进欧美各国西方文化，如举办英语演讲会、莎士比亚研究会、文艺讨论会。学生也开始有了自办的刊物——《约翰声》，以及话剧、摄影，都以“约大”为嚆矢。还有每年举办运动会，举凡网球、棒球、篮球、足球等都以“约大”为先河，中国早期的田径赛也是“约大”名列前茅。

外国人创办“约大”，主观上虽是为了传教，但客观上在传播西方文化方面起了一定作用。

上海圣芳济学院

邢志远

1874年由外侨在上海的天主教耶稣会创办的圣芳济学院(St.Francis Xavier′s College),校址在法租界公馆马路口(今金陵东路)。开始只收西侨子女,班级不多;到了1880年,才招收中国学生(男生)。因原院址不够用,才于1884年迁到虹口南浔路新址,分设中国班和西人班两个部分。由安东尼相公(Bro Anton)任院长,巴思道相公(Bro Pastor)任中国班主任。中国班有八个班级,头班至四班的学制为两学期,属高班;五至八班学制为一学期。后又增设预备班,收入院预备生。暑期后为大升班,寒假后为小升班,即是由八班依次往上升班,由八班升七班,七班升六班,依次按成绩升上去。

中国班的教材全用英文,由英国运来,分数学、地理等科目。四班后增设法语课,天主教义是必修课。较高班级全用英语上课,学生互相交谈也用英语。该院初办时的教师全由天主教传教士担任,其职称为"相公",专职为教育,不再为神父。低级班(六班以后)的教师由教会供给,不再支薪水,吃住在校,终身不婚,和基督教的传教士不同。

20 世纪开始后，增加班次，增聘本校毕业生留校任教，每学期支薪五个半月，不胜任的解聘。1933 年始，每班每周增加两节中文课。学院对学生管理很严格，英文词拼不出就罚另抄，回家作业不准涂改。每星期六都有测验，成绩好的受表扬，差的挨批评，期末举行大考。每科凡总分列前三名的都有奖品。

“八·一三”淞沪抗战开始后，中国班临时迁到孟德兰路（今江阴路），1938 年又搬到福煦路福煦坊(在今延安中路)新建的校舍。1940 年增办夜校，招收中国男生，不限年龄，每周上课六个晚上。珍珠港事件以后，夜校停办。

1945 年抗战胜利后，各校都要向政府教育部门申请立案。圣芳济学院原想申报为大专，因设备不全，未得批准，改为圣芳济中学，到 1952 年 3 月改为时代中学。

笔者原为该院毕业留校教师，知学院经历变迁，因以为记。

我国最早之体育专门学校

王瑜孙

今日论及我国早期之体育教育，必及徐一冰。一冰原名益彬，又名逸宾，浙江吴兴南浔镇人，生于清光绪七年(1881)。他十七岁时考中秀才，但不甘心做"东亚病夫"，1905年东渡日本，进大森体操学校，专攻体育，1907年回国。次年与友人创建"中国体操学校"于上海老西门，是我国首创之体育专科学校。1919年在南浔西庄村租赁孙氏基地约五十亩，筹建校舍，有教室、办公室、礼堂和生活用房；辟有田径场兼足球场、篮球场；置有天桥、平台、木马、双杠等器械。1920年全校师生迁入新校。1922年徐一冰在浔病故，年仅四十二岁。他主持体校十五年，毕业学生达千余人，遍及全国各地，其中颇多体育界知名人士。1914年他曾与老师王均卿（南社社员）一起主编《体育杂志》，提倡体育，可谓不遗余力。他长于文墨，常撰通俗歌词进行宣传教育，可惜他的许多作品今已散佚。1988年徐逝世六十六周年，故乡南浔镇特以他的姓名命名筹建游泳池，以为纪念。其子徐迟撰纪念碑文，婿伍修权为游泳池题字。是年国庆节游泳池举行落成典礼，极一时之盛。

上海油画院

丁 悚 遗作　戴广德 整理

上海油画院及其附设的中西图画函授学校，是我国第一所略具规模的美术学校，成立于晚清末年。创办人周湘，字印侯，又号隐庵，擅中西画术，于金石也有很高的造诣。校址最初在法租界羊尾桥杀牛公司迤西一段路上，现在这个地区变成了自忠路通衢大道，旧迹泯灭；后迁至南褚家桥宝裕里(今锦裕里)沿马路两幢小洋房里；复迁董家渡、长浜路、小西门等处。惜人力、物力两感不足，又以组织欠健全，前后约办了十几年，终因无力支持而停办。

南洋兄弟烟草公司选派留学生

陈其鹿 遗作　戴广德 整理

1920年春，南洋兄弟烟草公司在报刊上登广告，同年夏将举行考选大学毕业生，派往欧美留学，应考者先向所在大学报名，由校方选派二人前来应试。7月底向公司报到的计有北京、南开、武汉、岭南、金陵、交通、复旦、圣约翰等大学毕业生四十五人。考试前一日，公司举行欢迎会，总经理简照南致词："这次欢迎诸位前来应试，考试科目限于农、工、商三科，希望你们将来学成回国，能振兴实业，富强中国。以往留学生回国后，往往学非所用，浪费人才，莫过于此。诸位将来回国后，如无发挥所长的机会，欢迎在我的工厂或商业部门任事，贡献社会。"8月1日起考试两天，由黄炎培、余日章、郑莱等担任主考。

从1920年起至1922年，共招考三批，预定

名额四十五人，十五名由简照南出资，三十名由公司负担费用。实际派往英美两国留学生三十七名，其中包括学成回国事业上颇有建树的潘序伦和石志仁等人。

公司除付给每个学生制装费和往返旅费(含头等舱票价)外，学费由公司直接汇给学校，按月另付膳宿零用美金八十元，并负担医药费。留学生对公司无任何义务。

《申报》三次大补缺

周幼瑞

《申报》创刊于1872年4月，终刊于1949年5月，历时七十八年，是我国最早的报纸之一。由于时间长，变化多，要把这套报纸完整地保存下来很不容易。

早在1913年，该报馆资料室已发现存报残缺不全。因此在当年的三、四两月，连续在报头两旁显著地位，刊登了题为《收买全份旧申报》的广告。但是广告登出后，竟无人应征。过了好久，才有一位居住在南市的老读者张仲照专程来到报馆，把他历年收藏的从创刊号起至辛亥

年止的《申报》全部捐赠给报馆,并附信说:

是报记载详备,立说纯正。日月无尽,报亦无尽。吾年老矣,不幸一旦淹忽,儿孙辈安必持之以恒而藏之慎,与其遗散放失贻他日忧,孰若举而归之,俾与此报同永。

七十多年前,有这样一位目光远大,急公好义的读者是值得称道的。《申报》馆得此存报极为感激,特在该报刊五十周年发行的大型纪念特刊《最近之五十年》时,将张仲照的照片冠以“本报老友”字样刊在卷首,表示敬意。后来张老逝世,《申报》又专门发表文章以示悼念。

此后,1936年,上海澄衷中学又将积累的《申报》(1901年至1935年)赠送给报馆,再次充实了库藏。

1941年太平洋战争爆发,报馆为日军强占,《申报》在敌伪控制下出版。次年冬,原《申报》总经理马荫良和老编辑孙恩霖两人在南京路静安寺与熟友恽逸群不期而遇。由恽向马、孙提出,为稳妥安全计,必须把完整的《申报》设法集中到徐家汇的天主堂藏书楼去保管,并且对如何转移集中提供了办法。马、孙根据恽的建议,就同天主堂的司铎,主管藏书楼的徐宗泽(徐光启的后裔)联系,先查明那里所藏《申报》的库存,查清缺残破的情况,作好记录,伺机在报馆资料室里配齐,然后分期分批秘密运到藏书楼储藏,从而保存下这一套比较完整的《申报》。

通过以上三次大补缺,才使全套《申报》得

于1983年起由上海书店影印问世。

王进珊与《申报·春秋》

蒋星煜

王进珊教授是我于1940年所结识的朋友，到现在已经有五十多年的交谊了。虽然过从并不是太密切，但彼此还是比较了解的。

他是如皋人，生于1907年，排齿序，应该是我的师辈。刚认识时，他给我的印象是才子型，而不是学者型，诗词、绘画、书法都有一定造诣，都是一种清丽的气息，理论文章或考据则写得极少，无甚特异之处。

在旧社会，他是一个典型的优裕家庭出身的知识分子，虽不像古代名士那样纵酒佯狂，却决没有一味追求功名利禄，不是热衷于做官的人。当我得知他的高等教育竟是在国民党的中央党务学校受的，我大惑不解，觉得他考错了学校。他毕业以后更没有紧紧依附大权贵，更主要的是以诗画自娱。所以抗战胜利时，他的同学们大多做了厅长、司长等等，他却还是教书、编编报纸副刊，从他的志趣、性情来看，原是有其必然性的。

1946年，他进《申报》负责编辑副刊《春秋》。众所周知，《申报》在抗战胜利后重新出版，基本

上是陈布雷通过陈训畬遥控的。王进珊虽然也是一位国民党大员介绍去的，却不是陈训畬的亲信，因此处处地方受到牵制，不太舒畅。

他接编这个副刊之初，一心想摹仿孙伏园编《晨报副刊》、黎烈文编《申报·自由谈》的做法，对各种倾向各种风格的文章兼收并蓄，尽可能使内容丰富多采一点。又在一家餐馆办过两桌酒，招待作者，表示感谢。还未为《春秋》写过文章的，则在席上当面约稿，所以版面上的确相当活泼，而且图文并茂。

所招待的作者名单，他自己开了几位，又请陈白尘等人补充了一批。在陈训畬的目光中，自然觉得这份名单是刺目的，是难以容忍的。

王进珊从1946年9月3日开始，到1947年11月30日，编辑《春秋》十五个月。陈训畬决定采取措施，正好陈布雷经常在上海，陈训畬就请陈布雷出面，找王进珊谈一次话，以结束这种局面。

陈布雷劈头就问："你编副刊用些什么人的稿子？"王进珊也不示弱，答称："我历来编辑文艺报刊，论文不论人。"陈布雷听了很不开心，以训斥的口吻说道："我们的报纸不能给共产党发表文章。"王进珊没有回答，后来陈布雷宣布《春秋》合并给《自由谈》，并吩咐王进珊将手中积余稿件都移交给卜少夫。这事情就这样告一段落了，也没有再追问《春秋》这许多作者的身份。

陈训畬为使事情做得尽可能面面俱到，在《春秋》停刊后，又让王进珊编了《申报》的《文学》周刊。从1947年12月3日到1948年6月30日,共二十九期。到这时候,王进珊才完全离开《申报》。

上海报馆对"洪宪纪元"消极应付

杜岷英 遗作　戴广德 整理

1915年,袁世凯阴谋称帝,特派"筹安会"重要分子薛大可来上海创办《亚细亚报》,专事鼓吹帝制。适袁"登极",改元"洪宪",电令薛大可转告各报馆,要它们奉"洪宪"正朔,对于记年月日的国号称谓,不准再用"中华民国",改刊"洪宪纪元",倘不遵办,即予查封。有志之士,义愤填膺,咸以刊奉伪朝正朔,有贬报格,置之不理。嗣因薛大可的重压,迫不得已,乃将"中华民国"四字撤去,改刊"乙卯"两字,另用六号字把"洪宪纪元"刊在号数下,非仔细察看,不易辨识。仅《亚细亚报》大刊"洪宪纪元"。迨云南起义,袁世凯死,各报立即恢复原状。

“漫画会”会刊《三日画报》

季小波

1927年8月“漫画会”成立,它是中国第一个漫画研究团体,是民间组织。

会员十一人,黄文农、张眉荪、季小波、叶浅予、蔡钢丹,和原在海军政治部工作,参加北伐,在“四·一二”后,政治部解散回来的王益三和鲁少飞,以及在上海的张光宇、张正宇、丁悚、王敦庆等聚集在丁悚家筹建“漫画会”。在张光宇家布置了一个画室,并作为会址。

由于当时的日报读者,都爱看滑稽画作者如马星驰、钱病鹤等的作品,为了使漫画会同人的作品得到一个自由发表的机会,我建议办张画报,经大家通过,并推光宇、正宇主持,命名《三日画报》。道林纸印,三日一期。为节省开支,编辑部是轮值的。当时上海办这类刊物,一般只要有钱买纸张,印刷、制版都能欠账。画、文都是同道尽义务的,因之没有稿费支出。我们怕作品欣赏者少,打不开销路,决定兼容照片。

从《三日画报》发展,就进一步办期刊《上海漫画》及以后的《时代漫画》。而且,仍是《三日画报》的原班人马分工从事,为我国漫画事业的发展作出了贡献。

坚持抗日反汪的《华美晨报》

赵南柔

《华美晨报》隶属美商“华美出版公司”，发行人密尔士。抗战初期，上海中文报纸多挂起外商招牌，作为对付日伪干涉出版的挡箭牌。该报主要负责人朱作同曾因经费困难欲辞职，据我所知，当时经上海地下党负责人刘少文指示，由金学成接办，以加强上海抗日宣传阵地。

改组后的《华美晨报》，办报宗旨是“抗日反汪”。社长陆久之，经理金学成，总编辑徐怀沙，副总编辑王人路，社论负责人恽逸群，副刊编辑赵南柔、江朗、苏光耀。报纸在宣传党的抗日民族战争的方针政策方面，具有更鲜明的革命性和战斗性。社论由刘少文提出提纲，恽逸群、金学成、陆久之、徐怀沙等参加讨论，由恽逸群执笔，文字犀利，战斗力强，吸引众多读者，鼓舞孤岛同胞的爱国热情。

副刊编译室每天刊登赵南柔、江朗、苏光耀等译自日、英、德三国报刊的文章，占半版，约六千字，揭露日本军国主义的虚弱及其灭亡的必然。如译文《雨中的邮筒在哭泣》附漫画，说明是日本反动侵略战争，物资愈缺，拆邮筒回收钢铁，暴露日本已经陷入穷途末路。

《华美晨报》在地下党领导下，全社工作人员同心同德，办得非常出色，是一张有生气的抗日报纸，在上海市民、近郊游击队和远至香港、东南亚，拥有广大读者。苏联塔斯社经常将该报重要消息和社论，译成外文，转发各国通讯社采用，并向苏联在上海出版的《时代》杂志发稿，在国际上也具有一定影响。编辑部设立电台，每天播送国内外重要新闻，供郊区游击队收听。

敌伪把“抗日反汪”的《华美晨报》视为眼中钉、肉中刺，进行迫害，向报社送来了一只血淋淋的人手，并附恐吓信：“如果你们再登‘抗日反汪’文章，将遭到和他同样的下场！”汪伪特务袭击报社，同看门巡捕发生枪战。东京某大报刊有《华美晨报》报头及宣传抗日文字的照片，攻击该报说：“请看在上海租界上竟有这样疯狂主张抗日的报纸！”但该报仍坚持战斗，日伪的攻击迫害丝毫没有削弱新闻战士的斗志。

1939年夏，《华美晨报》出版一年多，经费涸竭，环境险恶，主要负责人金学成遭日寇逮捕，被迫停刊。

反对封闭南京《新民报》的联名抗议书

姜　豪

1948年夏，人民解放军对国民党军队展开全面反攻，在东北和关内各地都不断取得胜利。由于南京《新民报》巧妙地在战地通讯中透露事实真相，并在社论中敢于议论时政，国民党当局恨之入骨，由内政部勒令该报“永久停刊”。

事情发生后，《新民报》总经理陈铭德会同贵阳《大刚报》负责人毛健吾同来上海，洽请各方支援。来沪后他们首先与《亚洲世纪》杂志主编方秋苇取得联系，正好其时方秋苇、万枚之、周一志、鲁莽、吕克难、程仲文和我七人有个座谈会，开展民主自由活动。方秋苇就在座谈会上把这件事提出讨论，大家激于义愤，一致主张发表公开抗议书，并扩大征求联署人，以壮声势。是年3月，国民党擅自召开所谓“行宪”的“国民大会”，他们的“宪法”曾有规定：“人民有言论、讲学、著作及出版之自由”，我们即抓住这一条，反击他们摧残新闻自由的罪恶。

抗议书的标题为《反对政府违宪摧残新闻自由，并为南京〈新民报〉被停刊抗议》。由新闻

界、文化界、法律界知名人士毛健吾、方秋苇、姜豪、胡道静、曹聚仁、万枚之、万超北、鲁莽、谢东平、赵康民、瞿云白等二十四人署名，全文刊登于7月13日上海《大公报》。此后，重庆、成都等地的不少报纸，也全文或摘要刊登。继我们的抗议书以后，国内外许多报纸也都纷纷表示同情，反对滥用"出版法"，呼吁南京《新民报》立即复刊。

鲁迅与茅盾互任翻译

沈　楚

鲁迅懂德语和日语，对德语能识、听懂，但不会说。日语则应用自如，甚至能使他的日本朋友也为之惊叹不已。茅盾的英文根底很深，在商务印书馆时曾翻译过科普小说和文艺理论文章，也能熟练地与人用英语交谈。

鲁迅自定居上海后，与比自己小十五岁的茅盾结成了莫逆之交，他们常常把各自掌握的外国语为对方效劳，互任翻译。

当茅盾会见日本友人或日本杂志社来信约他撰稿时，鲁迅总是热情地担任翻译。有几次，茅盾和他的家人分别患病，鲁迅就陪同他们到福田诊所或须藤医生那里看病，义不容辞地译话。

鲁迅不懂英语，会见用英语的外国朋友，他就请茅盾作翻译。如，史沫特莱(《法兰克福汇报》记者)有事找鲁迅，茅盾就任翻译。史沫特莱曾应鲁迅之请，用英文给鲁迅翻印的《珂勒惠支木刻集》写序言，就是由茅盾译成中文后交给鲁迅的。与伊罗生来往，也由茅盾当译员。伊罗生，美国人，原名哈罗德·艾萨克斯。伊罗生是鲁迅与茅盾替他取的中国名字。1930 年到中国，任上海两家英文报纸《大美晚报》和《大陆报》记者，1932 年创办英文刊物《中国论坛》。他和史沫特莱一样，都是中国人民的朋友。

1936 年 5 月底，鲁迅的病情日益恶化，史沫特莱约请她的朋友、当时在上海行医的美国肺病专家 D 医生为鲁迅诊断。为了不让鲁迅自己知道病情的严重，决定用英语交谈，由茅盾担任翻译。他把许广平介绍的鲁迅病史及治疗经过译成英语，然后由 D 医生仔细为鲁迅听诊检查。约摸二十分钟后，D 医生用英语对史沫特莱及茅盾说：“病情很严重，恐怕过不了年。”史沫特莱的泪水不禁夺眶而出。鲁迅虽然听不懂医生的诊断，但见到史沫特莱在流泪，就意识到自己的病势不轻。

1936 年 10 月 19 日，中国伟大的作家鲁迅逝世。四个多月前，在 D 医生为他诊病时，茅盾为他的好友鲁迅担任了最后一次翻译。

鲁迅与茅盾亲密比邻

沈　楚

1927 年 10 月间，鲁迅辞去广州中山大学文学系主任的职务来沪，寓景云里 23 号，恰好在茅盾家的对门(景云里 11 号)，两家就成了亲密的比邻。

同年 8 月，茅盾从武汉经牯岭回上海，因遭南京政府通缉，一时不能公开露面，于是蛰居家中以写小说谋生。他家里的人则向外界说，雁冰到日本去了，使很多亲友信以为真。但对鲁迅是不保密的，所以鲁迅仍悄悄地到茅盾家看望，交换对时局的看法。

1928 年夏季，茅盾果然流亡到日本。鲁迅很牵挂他的好友，与夫人许广平谈话时，常关切说："保宗(茅盾化名方保宗)身体虚弱，不知他到东洋后能否适应。"

1930 年春，茅盾从日本回来，参加了"左联"，立即与鲁迅并肩战斗。一切重大问题，两人都要先磋商对策，然后行动。后来，上海的政治气氛更紧张了，鲁迅和茅盾都曾数度离家避难。他们的住址对外是保密的，但他俩却从不隐讳。鲁迅的通讯地址是由内山书店转，茅盾则是开明书店。

1933年4月，鲁迅从北四川路公寓迁居大陆新村1弄9号，他看到新村还有空房，就邀茅盾一家也搬到那里，住3弄9号。茅盾化名沈明甫，两家又做了亲密的比邻。

两年后，茅盾由于收入减少，为了压缩开支，迁居到房租较低的曹家渡附近的信义村1弄4号。虽然离鲁迅的寓所远了些，可是他俩仍交往甚密。

鲁迅喜尝“野火饭”

沈　楚

1933年4月中旬，茅盾一家搬到大陆新村，与鲁迅的住所仅一弄之隔。一天，茅盾夫人孔德沚亲自邀请鲁迅一家去品尝她亲手做的家乡饭——野火饭。

所谓“野火饭”，是茅盾家乡浙江桐乡乌镇的一种便餐。用肉丁、笋丁、豆腐干丁、虾米、鲜豌豆等加上调料与大米拌匀煮熟即成，吃时再配以鲜汤。乌镇民俗，家家在立夏前后都要烧“野火饭”。为何取名“野火饭”，因为这种饭不是在厨房里烧的，而是把行灶(能搬动的泥糊瓦盆的灶具)搬到天井(院子)里，置上锅，用柴禾作燃料烧成。除大米外，其余配料则视各家经济丰俭而异，因此不论贫富都能烧出不同口味的“野火饭”来。在露天用柴禾烧饭别有风味,尤其吸引儿童,他们都愿意亲手把柴禾塞到行灶里,霎时吐出熊熊的火焰来,多么好玩,多么新奇！在乡间,“野火饭”一般都在田野间挖个窟窿、垒上几块砖,引火烧成。这一习俗已流传很久。时至今日,住高楼大厦者对此已感到陌生。

那天,善于烹调的茅盾夫人所做的野火饭的确鲜美可口,色、香、味俱佳,使鲁迅赞不绝口,在他的日记中也写上了一笔。遗憾的是,夫人许广平女士因海婴生病不能前去品尝“野火饭”。

鲁迅先生的日常生活

王映霞

1928年2月,我与郁达夫结婚后,就寓居于上海赫德路(今常德路)嘉禾里前弄。这时,鲁迅先生已定居上海,先住在横浜路景云里,继而迁住北四川路拉摩斯公寓(今北川公寓)三楼,后又迁居山阴路大陆新村9号。这三个寓所都在东区,我们则在沪西,相距很远,但毕竟交通尚便,搭1路有轨电车即到。景云里是一条石库门弄堂,大陆新村9号是一幢单开间的三层洋房,也很普通,底层为会客室,里边放有周海婴的玩具,二楼为卧室和书房,三楼为客房。

我和郁达夫经常去看望鲁迅和许广平。有时就在那里吃便饭，菜肴极平常，不过两三只菜，薄酒半杯而已。绍兴人都喜欢喝酒，鲁迅先生也不例外，但喝得不多，不像郁达夫那样喝得酩酊大醉。鲁迅喜欢吃火腿和霉干菜烧肉。女佣是广东人，不会蒸火腿，许广平教她怎样切片，怎样蒸法。许广平对料理家务是个能手，又会踏缝纫机。海婴小时候所有的衣服，大半都是她自己做的。

鲁迅和许广平的双人床是黑色的旧式铁床。两头有四根铁杆，可以撑蚊帐，前面两根铁杆上挂着一长条绣花的“帐沿”，它用十字布制成，绣着红色的大花、小花和绿色的叶子，这是许广平绣的。鲁迅问我绣得好不好，我连说：“很好、很好。”这倒不是溢美之辞，她确是绣得十分灵巧生动。

郭沫若到重庆中央大学演讲

涂中玉

1939年春我正在重庆沙坪坝中央大学四年级读书，负责“中大文学会”的工作，曾请郭沫若、老舍、胡风等几位到中大演讲。中大文科重在学习传统文化，很有成绩，对新文学素不重视，当时还是如此。从他们几位来演讲后，风气便逐渐转变，此后所聘的教授中也有专门研究现、当代的学者了。他们既来讲文学，也讲抗战形势。特别热烈的是郭沫若来那一次。大饭厅里里外外全挤满了人，不少老师也来参加了。郭当时任政治部第三厅厅长，文化工作委员会负责人，实际是全国文艺界的领袖人物。我是通过革命同学的关系请到他的，原不相识。我亲自进城到预定地点去迎接，他已先到，当时负责电影事业的郑用之厂长愿意随他一道来沙坪坝看看。中大当时在全国高校中规模最大，学生最多，在社会上极有影响，却从未请过像郭这样著名的进步人士来演讲过。郭又是诗人，讲得激昂慷慨，热情奔放，在师生中造成了很大影响，震动了整个沙磁文化区。这事几年前连编写《郭沫若年谱》的同志先也不知道，后来知道了，专来访问我，问具体的月份和日期。我因相距已近半世纪，一时也记不清。直到最近看到重庆沙磁区内部印出的一份材料，方知是那年的1月8日。这就可以提供给年谱再版时补充进去了。这件事凡当时在沙磁区读书或工作的人都记得，因重大、中工、教院、南开等校的不少师生也有闻讯后涌来参加的。

1947年冬我从青岛被国民党教育部密令中途解聘回沪时，历史学家丁山教授托我带封信面交当时住在上海狄思威路(今溧阳路)的郭老，我按址去看到了他，谈起这次去中大演讲的事，他记得还很清楚。并还说了："你们同学欢迎我，可你们的校长罗家伦却曾想阻止我去呢。"

郁达夫的衣着

王映霞

我第一次见到郁达夫,是在 1927 年 1 月 14 日上午 10 时左右。那时,我暂时寄居于祖父老友孙百刚夫妇的家里, 地点在上海白来尼蒙马浪路(今马当路)尚贤坊 40 号。

这天,郁达夫来访孙百刚,因而见到了我,经人介绍,我知道他就是《沉沦》的作者。他身材并不高大,仅高一米七,比我略高一些,颧骨突出,显得很消瘦。一件灰色布面的羊皮长袍,衬上一双白纱袜和黑色直贡呢鞋子。他的头发原来是平头,因为好久不剪,长达一寸,有的笔直,有的向后倒,一看,就可以知道他是一个不修边幅、落拓不羁的文人。

郁达夫不讲究衣着,连布料的好坏,式样的新旧,都一概不问。他常说:“衣服只要保暖就可以了,何必问这问那呢?”在与我共同生活的十二年中,他一直穿布衣,夏天穿夏布短衫、夏布裤子,出门时罩上夏布长袍。有时不罩上长衫,就往外跑, 甚至有一次游普陀山, 也是不穿长袍,所以我的同学都说他像个剃头师傅。他平日不穿西装,不着皮鞋,只穿圆口的布鞋。这些布鞋有些是买的, 有些是我做的。他始终穿着布衣,只做过一件纺绸长袍,而且仅穿过一二次。他不用木梳,头发乱了,用手理理,全家只有一只木梳,我与女佣合用了五年之久,他从未碰过手。

1936年冬,郁达夫应日本各文学团体之聘,赴日本讲学,并走访流亡于日本千叶县乡下的郭沫若,劝其回国。这次,不能再穿布衣了,便做了两套深灰色的西装。但回来后,依然故我,仍然换上了布衣。

郁达夫自己不讲究衣着,因而也不许我穿着打扮。我穿的总是阴丹士林布旗袍,即使赴宴,也是如此。有一次在杭州,我穿了一件咖啡色的绸旗袍,走出门口时,他看了我的衣服,就说:"今天不去了。"我每次出门,所穿的衣服都要经过他的审查。我不烫头发,没有大衣,每季只有三四件衣服。有一次,胡适之请客,我应邀参加,穿的也是布衣,而且颜色限于藏青、蓝色,不许我穿红着绿。报纸上都说我很朴素,其实我也有不得已的苦衷。抗战前在杭州时,我仍应酬很多,人家女眷都穿绸旗袍,我穿布的,显得太寒酸了。于是我也穿上绸衣服,郁达夫不许,我还是坚决地要穿,结果,他也无可奈何。

郁达夫的饮食

王映霞

在衣食住行中,郁达夫最讲究的是吃。他常说:“我们无产者惟一可靠的财产，便是自己的身体。”又说:“文章做不出事小,身体养得好好的,这是第一着。”当时,我们家庭每月的开支为银洋二百元,折合白米二十多石,这可说是中等以上的家庭了,其中一百元都用之于吃。物价便宜,银洋一元可以买一个大甲鱼,也可以买六十个鸡蛋,我们比鲁迅家里吃得好。因为我家吃得讲究,所以鲁迅、许广平、田汉、丁玲、沈从文等人常来吃饭。尤其是姚蓬子,简直一日三餐都在我们家吃。我们对他们来者不拒,一律欢迎。

郁达夫喜欢吃鳝丝、鳝糊、甲鱼炖火腿。我们住在上海常德路嘉禾里时,附近就有菜场。他嫌这个菜场小,花式少,一定要我到陕西北路的大菜场去买。每天每顿的菜肴,必须调换花样,真是伤透了我的脑筋。他胃口很好,一餐可以吃一斤重的甲鱼或一只童子鸡。郁达夫出身贫困,妈妈烧了一碗肉圆要吃上半个月，但郁达夫长大以后,却成了一个美食家。因为吃得好,他的肺病和痔疮也竟不药而愈了。

他每天早晨不吃牛奶，不吃面包，只吃泡

饭，小菜当然很讲究。他嗜酒如命，每顿必饮黄酒一斤，有时喝白兰地。他经常饮得酩酊大醉。我们住在嘉禾里的时候，有一次他一夜未回。翌日黎明，只见一个陌生人扶着满身冰雪的郁达夫，踉踉跄跄地踏进了客堂间。原来，郁达夫昨晚喝醉了，在冰天雪地里过了一夜。我立即替他换了棉衣，烧姜糖汤，足足忙了很久。从此我规定凡朋友请他出去吃饭，我一定要请这位朋友负责送他回来，否则禁止他出门。

这样的"约法三章"，起初还有效果。久而久之，仍为一纸空文。不仅得罪了朋友，而且他自己也不守信用，甚至憎恨我，与我争吵。我只好听之任之，随他去算了。

郁达夫的住所

王映霞

郁达夫对于住所很不讲究。我们结婚之初，蜜月就是在上海北火车站附近的一个小旅馆里度过的。所以他有"日日痴坐洞房"的诗句。但住旅馆，终不是长久之计，于是设法找寻住所。

我们在赫德路(今常德路)嘉禾里看房子时，房主人对我们说："这里有前后两条弄堂，格局相同，都是一楼一底。前弄房租银洋八元；后弄多一个天井，房租每月十二元。有了天井，夏天凉爽些。"郁达夫舍不得多花钱，租了前弄的一幢。郁达夫对这幢小屋有过这样的描述：

"小屋的租金，每月八元，室内设备，简陋到了万分，电灯电扇等文明的器具是没有的。"

后弄1442号为我祖父所租赁，一两年后祖父思念家乡，迁回杭州，再三向郁达夫说明居住后弄的好处，郁才勉强迁入后弄1442号。

室内家具仍是非常简单，楼上只有五尺的大木床一只，写字台一张，凳子两只，梳妆台一张，楼下一张方桌，两张凳子，遇到打牌或请客，凳子不够，就把楼上的凳子向下搬。这些家具都不是买来的，而是向木器店租来的，每月租金十二元。郁达夫每月收入的稿费很多，给《申报》副刊《自由谈》写五六百字的一篇短文，就有十元收入。他有了钱，宁可买书、买酒，不愿在别的地方多花一点钱。

虽郁达夫素不讲究住所，但1933年4月自上海迁居杭州后，忽然萌发了"自家想有一所房子的心愿"。便在原来所住的大学路场官弄附近，兴建"风雨茅庐"，总共花去一万余元，于1936年4月落成。"风雨茅庐"并不是草房，而是砖瓦平房，分为三部分：一为座北朝南的三开间正屋，二为后花园内的三间书屋，三为厨房和浴室等小屋。客厅中央高悬马君武所书的"风雨茅庐"四个大字，两旁配挂着鲁迅亲笔所写的诗作《阻郁达夫移家杭州》。屋内还挂有龚定庵的两行诗句："避席畏闻文字狱，著书都为稻粱谋。"

但是"风雨茅庐"造好没住多久，郁达夫就

去了福州，只是偶而回来住住。1937年抗战爆发，日军长驱直入，进犯杭州，我们逃往内地去了，而郁达夫也于1945年日本投降后遇害于南洋。

郁达夫的行

王映霞

20年代末和30年代初，上海出租汽车相当流行，街头到处可见，用手一招就来了。在市区内，不论远近，出租车一律付银洋一元，另给小费一或二角。但郁达夫在交通上很节约，舍不得多花钱，从未坐过出租汽车。

在上海期间，每次出门，路途远的坐电车或公共汽车。如鲁迅住在虹口，我们住在沪西，相距很远，来往就坐有轨电车。当时，电车分头等、三等(没有二等)。头等座位是皮制的，坐得比较舒适，车票价格比三等高二、三文，所差极为有限，而郁达夫斤斤较量，偏偏要坐三等电车。三等车多半是拖车，颠簸得很厉害，而郁达夫则处之泰然。

路途近的，我们就坐黄包车。当时，黄包车很多，一叫就来到你的面前。郁达夫告诉我，坐黄包车，要坐老头拉的车子，车钱不会太大。因为他自知气力不及青年人，车钱就低一些，我们

乐得省几个钱。年轻力壮的车夫,虽然拉得快一些,但车钱必然要花得多。

有一次,我祖父从杭州来上海,打电报给郁达夫,叫他到北火车站去接。这天大雨滂沱,郁达夫不仅不喊一辆出租汽车,连黄包车也喊的是老年人拉的。拉到家门时,鞋袜衣裤尽湿。祖父是老年人,衣服湿了,没有办法换,时值严冬,只好让他在被窝里睡上一天多。

每当春暖花开季节,我和郁达夫常外出散步。有时从赫德路一直步行到徐家汇。在当年的梵皇渡路和愚园路上时常会碰上回到曹家渡去的独轮车在兜揽生意。郁达夫老喜欢和我一起坐这种"第四阶级"的小车子。独轮车的轮盘在车子中间,座位在两边,我坐左边,他坐右边,倒也十分平稳。有时遇见坐小汽车的朋友,他们从车窗里伸出手来向我们打招呼,我起初怕难为情,后来倒也习以为常了。

郁达夫喜欢步行,当时我年轻不懂事,对他百依百顺,也跟他一起走路。这样,我们在上海走了五六年。现在我年逾八旬,尚能步行,不拄拐杖,这不能不记上郁达夫一功。

曾朴初识苏雪林

朱雯

1928年春,曾朴(孟朴)和他的儿子虚白在上海创办真美善书店,出版《真美善》杂志。那时我在苏州东吴大学读书,课余从事文学创作和翻译,最初的一些习作都是在这个杂志上发表的。我的第一个短篇小说集《现代作家》也由真美善书店出版,被列入苏雪林主编的《金帆丛书》。苏雪林当时在东吴大学任教,讲授"宋词研究",我是听过她课的学生。她有两本著作也在真美善书店出版,其中之一便是《蠹鱼生活》,作为"金帆丛书"的第一种。我知道她跟曾朴父子十分稔熟,她也知道我跟他们常有往还。1929年我在苏州创立"白华文艺研究社",出版《白华》文艺旬刊,他们曾给我以很大的支持,这些情况她都非常了解,并多次讲起曾朴先生对后学的关怀。但雪林先生当年如何跟曾朴相识,这一段历史我并不清楚。最近得虚白从台北来信,并读到他近著《曾虚白自传》(上卷)一书,才知道曾朴与苏雪林初次见面时的一些详情细节。

原来曾朴十分好客,又很健谈,当时虽已六十来岁,气概和精神却跟年轻人不相上下。郁达夫曾说:"孟朴先生的风度实在清丽得可爱;虽

则年龄和我相差二十多岁，……但谈话精神的矍铄，目光神采的奂奕，躯干的高而不曲，真令我这一个未老先衰的中年小子感到了满面的羞惭。”特别是有一段时间，他们住在马斯南路(今思南路)一幢小花园洋房里，环境清幽，居室宽敞，更常常是门庭若市，宾至如归。登门往访的文人，除郁达夫外，还有叶圣陶、陈望道、赵景深、顾仲彝、徐蔚南、邵洵美等。但在所交往的朋友中，没有一位是女性，这使他引以为憾，所以后来女作家苏雪林经张若谷引荐去谒见曾朴，便成为曾朴一生中一件难忘的大事。

曾朴在日记中详细记述了他与苏雪林第一次见面的情况，把谈话内容都记上了，还对她作了很高的评价。日记中写道：

> 一见面，彼此鞠一躬。我端相这位女士，身材不算高，也不很低，是个中等身材。面部略带圆形。肤色不很白。睛瞳虽不黑，而很灵活。态度亦极自然。总而言之，可以说“娴雅宜人”四个字。
>
> 先说了一番套话，后来又说了些玉溪生考证上的话，都没有什么关系，我忽然提起《侠隐记》到《法官秘史》实在没有译完，还有三本没有译的话，女士接着道：
>
> “我国讲英雄的书，差不多从《三国志》起一直到《水浒》、征东、征西都是帮助一个皇帝或类似皇帝的野心家打天下，一个模式的。只有《七侠五义》却另换一个组织，所

叙五鼠，各有专长，格局极像《侠隐记》。我疑心这部书和侠隐记有关系。”

我问：“这关系从哪里来的呢？”她答：“这部小说不过是五六十年前的作品，我恐怕那时天主教徒已遍满各处，难得无教徒谈起《侠隐记》的情景来。有些文人听在肚里，就中国的情形做出这部《七侠五义》来。”

女士这段议论，虽然毫无根据，觉得缥缈得很，不过事实却也有一条路在那里面，不能说它绝对没有的事。

女士这种思想很觉聪明，充满了imagination。我觉得听了这些话，印象上非常的好。

包天笑轶事

涂碧波

包天笑(1876—1973)，是苏州星社一位年龄最高的长寿老人，他老人家身体强健，和蔼可亲，好提掖后进。中年时期即从事写作，不久应上海文明书局和《时报》馆之邀，迁徙沪上北站附近的爱而近路(今安庆路)。在编辑《星期》杂志时，他创作一篇《活动的家》，写得间架分明，营造入理，当时读者皆认为他确有先进创造思想。

如今穗、沪、苏北各地，竟然实有营造"活动房屋"的厂家，广告遍布报章及电视荧屏。说句笑话，他若尚在人间，大可与这些厂家一争创造发明权呢。他曾以某家事实草一小说《一缕麻》，哀感顽艳。梅兰芳大为欣赏，立即改编为时装京剧，曾风靡上海。他居住在爱而近路时，遗失一怀表，该表恰是"爱而近"名牌，他眷念不胜，即草断句曰："爱而路近天涯远，一日思君十二时。"永志为念。

他留居香港后，我时常蒙其关切。每当拙稿在香港《大公报》、《文汇报》刊出，就会承他老人家剪寄给我，并附书加以鼓励，日久恰好积成两集纪念册。不幸这纪念册竟毁于十年动乱。今日幸得保存他八十八岁时惠赐亲笔书写的扇面一帧。是写他旧作清丽的七言一律："悄向尘寰走一巡，南鸿北雁了无因；偶为云掩原非暮，倘遇花开即是春。拄杖乍添新健仆，亡书如忆旧情人；阿婆早已萧萧发，犹作东施强效颦。"

他曾译日文《馨儿就学记》，极为当时教育当局重视，嘱书局必须摘编入中学课本中作为教材。上海明星影片公司采取了他译的《空谷兰》、《梅花落》，摄成电影，卖座甚盛。后来又请他去编写《富人之女》、《好男儿》、《可怜的闺女》、《多情的女伶》等剧本，摄成影片也颇受欢迎。他寿终于香港天平道二号，享寿九十八岁。逝世前两月，尚写稿二万字，散寄港地报章与杂志，知者莫不悼念。

林语堂谈读书法

梁立言

林语堂，这位二三十年代已闻名的作家，我青年时只觉得他是语文学家；后来常看他主编的《论语》，很感兴趣，每期必读，觉得很过瘾，大家都叫他是“幽默大师”。大学时对他的幽默文章尤为倾心。1934年复旦大学文学院特请林语堂来校演讲。我以为他一定是一个幽默形象、洋派十足的人。及至到校，见他穿的却是长衫马褂，高瘦身材戴上眼镜，是个温文儒雅的知识分子，一点也看不出有什么幽默的地方。

林语堂登台开讲了，他说学校是读书的地方，就谈谈读书方法吧。他先讲古人的读书法有三种，他在黑板上写上：有刺股法，追月法、丫头监读法。他说这几种读书法不解释大家都已知道，但也有贫富和勤惰之别。头悬梁、锥刺股的读书法是贫苦青年的刻苦用功，为人所钦佩，可能难学它。丫头监督和追月的读书法则是风流雅士和公子哥儿的读书生活，虽传为美谈，但都不足取，从来没听说这样读书而有成就的。

还有的读书不专心，怪这怪那，装腔作势，怪光线差，怪声音嘈杂，甚至怪桌凳不如意，怪消化不良。这都是读书不尽心,没有领略书味,条件再好也读不好书。有的人也买了几本好书,却包起来摆上书架作样子,并不去读它,那是假读书,是浪费。

真正的读书,是有志于学,对选定和必读的书就一心扑上去,不论在室内外,图书室,马路上,床上,公园里,厕所,餐桌或理发店,都能尽心地读,不倦地读,看上去虽有几分呆味,这却是真读书,其读书精神是可贵的。

也曾见到不少人,常在饭后,口含牙签或香烟一支,手持《论语》一本,读得津津有味,希望大家读书的时候,能有此精神。

洪深教授在复旦

孙俊在

洪深教授是美国哈佛大学文学硕士,精通英语,著名的戏剧专家。他在复旦大学任教时,创办了"复旦剧社",编著的剧本之一《五奎桥》,上演时博得了戏剧家们和观众的一致好评。他除教戏剧方面的课外,还兼教"近代英文"。他教每篇课文,总是先叫同学自己阅读,尽量提出问题,下次上课时他一一解答,等到同学没有疑问了,就由他提出一些问题,指定同学回答,回答得不够详尽时,他就补充,而他的补充确是抓住了课文的中心。当然,上英语课时,他从不讲一句汉语,而他的英语是那么流利生动,深入浅出,获得了同学们的无比钦佩。

他还将所有的书籍都捐献给复旦大学图书馆,每册书上都有一方印章“洪深暂藏图书”,可见他购置书籍时,早有捐献给公家的打算。这种“无私”的美德,可敬可佩。

他平时很少着西装,经常是长袍外面加上一件蓝布罩衫。他有一次很幽默地说:“精通外语的人未必着西装,而连廿六个字母也说不全的人倒西装笔挺。”

但他也有美中不足处,就是平时缺课较多。他曾对同学们说:“我是不大向教务处请假的,以后每次上课钟打了十分钟不见我来,你们就回去,不必在此空等。”同学们对他的学问渊博,非常钦佩,又知道他兼课不仅复旦,还有其他学术团体请他讲学,实在很忙,所以大家对他的缺课,也采取原谅的态度。

欧阳予倩离沪秘记

陈梦熊

影剧界前辈欧阳予倩久居上海,但在上海沦为“孤岛”后,却为敌寇所逼,秘密离沪,由香港转桂林、韶平等地,直到抗战胜利后才返回上海。然而，他是怎样受到敌寇的逼迫，如何秘密离沪的呢？

上海沦为"孤岛"后，欧阳先生仍团结在中共地下组织和留沪进步人士周围，坚持不懈地从事抗日宣传工作。对此，日方当然严加注意，只是没有什么危害他的行动罢了。后来，日本驻沪总领事清水，想办个专门拍摄既不抗日又不亲日的影片公司，用来抵制抗日的电影。他们派了一个与欧阳先生曾是同学的日本人，穿了便服去找他，请他出面办这个公司，也就是说要欧阳先生当电影界的汉奸头目了。先生听了，吓一跳，推托说："我老了，没有精力办。"来人竟翻了脸。第二天，清水总领事亲自换了便服来找他。清水也是先生留日时的同学，一定要先生出面办。先生不允，但又不能硬顶，只能借口延宕。在非常焦躁中，先生找中共地下党员扬帆商量。扬帆诚恳地对先生说：去抗日根据地，我们派人护送；去内地，我们派人送上轮船。先生回答说要去桂林，并希望地下党负责他的安全。商定后，扬帆同志便向组织汇报，并向国民党地下人员打了招呼，在码头等处作了安全布置，于1938年4月12日抵公平码头，登上开往香港的班轮，顺利地秘密离沪。

曹禺的情书

华道一

曹禺原名万家宝,1930年进清华大学西洋文学系。在清华时他追求同系比他低两级的女同学郑秀,先后写了一百多封情书,终于结为伉俪。曹禺的成名作《雷雨》,就是他俩在清华热恋时期创作成功的。据他俩的女儿万黛回忆:“爸爸给妈妈的一百多封情书,有的一封就是几十页,妈妈一直很好地保存着。妈妈总是对我们儿女说,这些信不是一般的情书,而是文学珍品。等妈妈老了,要把这些信献给国家博物馆。”“一位妈妈的好友曾看过几封爸爸给妈妈的信,深受感动,对我说:这些信不像花前月下的谈情说爱,不是卿卿我我的甜言蜜语,而是充满纯真的感情,富于理想和追求。那样热烈,那样健康,那样高尚。你爸爸才华惊人,谁看了这样的信,都会动心的。”不幸的是,这些“文学珍品”终于在文革中毁掉了,万黛说:“这就等于是无情地毁灭了我妈妈心中的圣地。”

忆赵景深

庄一拂

一代宗师、复旦大学戏曲理论史教授赵景深，四川宜宾人。他完全是个昆曲迷，讲堂往往变成排练场。譬如讲洪升《长生殿》，景深自我演唱《惊变》，加上舞台身段，唐明皇、杨贵妃一人兼串；讲到汤显祖《牡丹亭》、《游园》，杜丽娘、春香一人包办，娇声滴滴，引起哄堂大笑。但学生受此现身教育，学业进步得甚快。景深研究戏曲理论史，早有惊人奇迹。但他学习昆曲，却是由我引之入胜。夫人李希同，是李小峰之妹，夫唱妇随，并嗜昆曲。我介绍他参加昆曲团体"平声曲社"和"赓春曲社"，——上海素有"南有平声，北有赓春"之谚。他和我编辑曲学丛刊《戏曲月辑》，专谈昆曲和戏曲史，亦是一种创举。英国梅根博士，与我们素昧平生，却专程由美国到上海访问我们两人。日本学者亦尊称景深为中国"戏曲泰斗"。他曾组织"上海昆曲研究社"，与俞平伯"北京昆曲研习社"南北呼应。

不幸赵氏于1985年1月7日从楼梯失足下坠，因患出血性中风医治无效去世，享年八十二岁。我痛失良友，开追悼会时，写了一副长挽联，以志哀思。

张恨水轶闻趣事

涂世勋

张恨水是著名的小说家兼报人，但无旧文化人的习气，待人接物和蔼可亲，富幽默感。

抗战期间，张在重庆。有一天，华灯初上，张恨水约了《新民报》老友张友鸾还有其他报社的几位同行，去重庆下城的沙利文西餐馆喝冷饮，叫来几客冰淇淋。当张的一客送到面前时，他叫侍者把它送回厨房蒸化了拿来。他说这是“冷饮热食”，引得大家发笑。

最有趣的是一次成都花会的筵席上，张大量饮酒夺魁的一幕。

成都每年春天要举行花会，某届(日期记不清了) 四川省主席邓锡侯请重庆新闻界组团观光。由中央通讯社萧同兹为团长，团员有《新华日报》的潘梓年，《新民报》社长陈铭德则偕张恨水同去，其他各报的负责人也都参加了。

邓锡侯设宴招待。客人面前各放一套从一两(旧制一斤为十六两)装到二两、三两直至一斤装的特制银酒杯。主人说明，敬客白酒，从一两杯饮起，顺次是二两、三两，直至一斤装为止。凡饮完一杯的，则那个银杯就属他所有，能够饮通关的则全套奉送。酒杯上都刻有“邓锡侯敬赠”

字样,并在散席时,有匠人当场刻上得杯人的大名,以资留念。

全场以张恨水喝酒最多,泸州老窖大曲,醇厚而烈。到了第七杯,张老已不胜酒力。计算一下,已二十八两之多,但张老犹以未能喝到一斤装者为憾。结果散席送客,东道主每人另送了一套。

另一次,水利厅长何北衡设宴欢迎全团团员。席间,张老对何北衡说:“你是我的冤家对头,今天是狭路相逢。”此话一出,满座愕然,却都不解其意。张老于是解释道:“我一生最恨水,所以取名为张恨水,而何厅长偏偏爱水,大搞水利,专门与我作对。”大家听了,都笑不可仰。

张天翼二三事

陆印泉

30年代初期,我在南京读大学时,与当时也在南京的著名作家张天翼时有来往。那时张天翼不修边幅,他说:“我从不照相,因为其貌不扬;就这点讲,我总算有自知之明。”有一次,上海《现代》文艺杂志主编人施蛰存硬要他的照片,好让他在读者面前亮亮相,但是他依然没有“破戒”,只是请画家画了一张半身头像来代替。

当时张天翼住在南京白下路他姐姐稼梅的家里，以写作为生，没有固定工作，而每千字的稿费也只有二三元，可见生活艰苦。他无意于仕途，可他的堂姐张默君却是国民党内非常“兜得转”的女性，姐夫邵元冲更历任国民党政府高官。但天翼与这些头面人物极少往还，甚至在聊天中从未提到过他们。

张天翼酒量很大，啤酒要吃好几瓶。他说：“要我吃白开水吃不了这样多，喝啤酒却满不在乎。”一喝酒，他的话就多起来了。1934 年春，我与张天翼、高植、傅尚杲等四人，在夫子庙杏花楼菜馆吃饭，意外地遇到了丁玲。时丁玲肌肤丰满，服饰华丽，带着一个六七岁的小女孩，犹似贵夫人模样。其时社会上对丁玲，有各种传说。因此，她的突然出现，令人费解。丁玲与张天翼同为左翼作家，虽然彼此很熟，却只把我和傅尚杲介绍给她，没讲几句话。还没有立定脚，就走到隔壁房间里去了。

张天翼还喜欢唱歌，我虽没有听见他唱过。但他说：“我的嗓子很好，歌也唱得不坏，这是事实。一个人能不能唱歌，是一种天赋。”他叫我喊声“啊——”，我照他的意思喊了声“啊”——。他听了以后，说：“你的声带太窄，不宜于唱歌。”

邵洵美与项美丽

章克标

美国女记者 Emily Hayn 姓名被译作中国式样的“项美丽”，据说是出于邵洵美的手笔。此女于 1935 年到 1944 年之间住在上海，后来又去香港等地。在上海时，同邵洵美很亲密相好，曾经同居了二三年之久。他们赁屋于林森中路(今淮海中路)近福开森路(今武康路)处，就在洵美居宅的近边，是靠马路的一个小型住宅。我同时代书店同事有时也去玩过。

项美丽还写了一本《宋氏三姐妹》的书，是洵美帮助她搜集材料，还因此伴她去拜访过宋庆龄女士，得到欢迎，并且也提供许多珍贵材料。她这本书在美国出版时，成了畅销书，同时也在上海出了中文版，是委托顾苍生译的，当时也颇有声势。

项美丽在中国时，还写过一本《中国与我》，于 1945 年出版。书中她表示对邵洵美的赞美，说诗人与作家的邵洵美，有极高的天才。她与洵美友好互助，在日本侵略军入侵上海以后，她帮助他从战区搬出了时代印刷厂的设备机器和财产，也让洵美用她的名义来出版抗日爱国的刊物。

项美丽是美国杂志《纽约客》的长期撰稿人，四十年之后《中国与我》又于1987年再版了。这时她已年老，但还在写作。在胜利后的1946年，洵美赴美国观光及考察电影事业时，曾与她在那里再见过一面，虽然项美丽此时已经嫁了人，而且生男育女了。

邵洵美殁于1968年。据《文汇》月刊1988年7月号董鼎山撰文介绍，项美丽还很笔健，犹有新作《夏娃与猿》一书出版。

康有为法书与赝品并悬无锡梅园

华道一

20年代，无锡梅园主人荣氏以重价托人在上海购得康有为法书“香雪海”三字，制匾悬于梅园主厅“诵豳堂”的南首小厅中。后康氏到无锡，承荣氏殷勤接待到梅园游览，经康亲自识别，此匾所书乃是他人伪作。康即当场濡笔另书“香海”二字，并跋小诗一首，由主人另制一匾。康嘱赝作不必取下，即与康亲书之匾同时悬挂在厅堂中间正梁两边，亲笔之匾面南，赝作面北。当年两匾并悬,我亲见之。

康匾所跋小诗显示康氏之机智与才华,我对此十分倾倒,故至今犹能记诵。诗云:“名园不愧称香海,拙字如何冒老夫?为谢主人濡大笔,且将佳话证真吾。”

王蘧常与康有为

富寿荪

王蘧常先生年十九(1918),师事同邑嘉兴沈曾植氏。沈为著名学者兼书法家,清亡后侨寓沪上海日楼,号寐叟。一时遗老、学人,争集其门。

1920年夏,蘧老自无锡国专返沪,携所摹《爨龙颜碑》七纸就正寐叟。适康有为在座,见之,索观,欣然色喜,谓寐叟曰:“咄咄逼人门弟子。”寐叟哂曰:“不可长少年骄矜之气。”康氏大笑,索笔圈数十字示寐叟,谓蘧老曰:“此碑浑厚生动,兼有茂密雄强之胜,为正书第一。汝能学之,大善!大善!”康氏行后,寐叟曰:“圣人平时少许可,今日不知是何因缘,乃有此过情之誉。”“圣人”者,当时流俗品目康氏之号也。蘧老询适才康氏所语云何?寐叟告之曰:“此乃南宋赵仲白《读〈茶山集〉》诗句也,‘门弟子’为陆放翁。”蘧老始悟寐叟所答之语,为大感动。

一日,蘧老省视其师,寐叟遽曰:“咄咄怪

事，圣人乃欲婿汝。”蘧老急谢非偶。虽婚事未成，而蘧老晚年谈及康氏对彼之赏识，犹为感叹不已。

数年前，青岛修康有为墓，蘧老献墓门楹联曰：“万木风高，际海蟠天终不灭；一言心许，铭肌刻骨感平生。”下联云云，盖犹不忘康氏当年之一言褒奖也。

张状元卖字趣闻

涂润舟

南通张謇为清代甲午状元，又兼农商部长及大实业家头衔，因此为求书者最适当之对象。

民国初年，张书联往往上款“某某仁兄大人正”，下款“张謇”二字，印章用“张謇季直甫印”，阳文。有一个时期，为赈灾救济募款，用“张謇鬻字”之章，得者大为不怿。因为这使主宾之间，明显地成为买卖形式，不能攀附友谊，有失身份。后经黄炎培劝阻，此章遂废而不用。晚年用“南通张謇之印”铜章。从上下款及用章方面推断，张氏作字年代，可大致不差。尚有用“张育材”者，乃三十岁左右作品，存者甚少，知者亦罕。

张氏最后鬻字，订立限期，以一月为度，由大生纱厂上海事务所为收发处。名高望重，来者坌涌。所有联语大多用朱古微《梡鞠录》。此书专集清人诗句,有一暴发户新构华屋,以八尺珊瑚金笺求张书。张为书"庭兼唐肆难求马,室类尸乡爱祝鸡"。下联"尸乡"、"祝鸡"乃《列仙传》仙人故事,"尸乡" 乃仙乡之名。岂知富户财多识陋,看到"尸乡"二字,勃然大怒,认为有意调侃,立将联字扯得粉碎,掷于营业柜上,扬长而去。可见此人毕竟凡胎,不愿进入仙境,亦可笑也。

于右任饭后挥毫

吕学端

三原于右任擅书法, 精于汉魏六朝, 其草书,名闻遐迩,得者视为拱璧。

抗战期间,于氏在重庆仍任监察院院长。院址在陶园,花木扶疏,环境幽静。每日饭后,于老开始挥毫,时间约一小时左右。先将备就之浓墨掺水冲淡,以便任意挥洒。每写一幅,即由周伯敏在旁盖章。余尝乘先生作书之时,以纸插入,先生见纸即书从未计较,余因此求得多幅。其中以一长条幅最为精妙;另有四言联,"顶天立地,继往开来",均于十年浩劫中被毁,至堪惋惜。余尝于康心之寓获见先生楷书条幅,秀劲挺拔,殊属难得。楷书条幅,仅此一见,以后未曾多觏。

叶恭绰藏有秦桧字帖孤本

任书博

叶恭绰字玉甫，又字誉虎，号遐庵，广东番禺人。所藏书画文物极富，已有记载。但其书法除临摹唐褚遂良及汉魏各碑外，最得力的是他藏有宋秦桧字帖孤本。平时经常临摹，却不为外人所知。这是他亲口告知我师吴湖帆的。

沈尹默与陈独秀

富寿荪

沈尹默先生为当代著名书法家，然其立志学书及书法方面之成就，乃由陈独秀一言激之。

清光绪三十三年(1907)，沈氏年二十四岁。一日，南社诗人刘三邀沈小酌，席上谈论诗文，颇为欢洽。次日，沈氏作五言古诗一首，请刘三指教。刘三极其赞赏，并将其诗张于壁上。不久陈独秀在刘三家中见此诗，殊为钦折，急问沈尹默是何许人。刘三据以告。陈独秀翌日即登门拜访，排闼而入，大声曰："我陈独秀也，昨日在刘三家见汝诗甚佳，惜字太俗。”沈氏经陈独秀当面批评，颇觉难堪。然细思之，其言实中其病，乃痛下决心，立志学书。自此，日日坚持临池，摹习唐人书几遍，于褚河南(遂良)书致力尤勤，《伊阙佛龛碑》一临即数百遍，并兼学二王、魏碑及宋人行草。经数十年如一日，锲而不舍，终于大成。其后沈氏与友人或弟子谈及书法，往往提到陈独秀，谓当日若无陈氏之一言激励，决无今日之成就也。然则陈氏之爱才心切，直言相告，亦可风矣。

钱名山书件作奁赠

钱悦诗

先父钱名山为清朝进士，江南名儒，诗文学家，书法尤负盛名。他的书法风格独特，表现了他的个性。早年学颜鲁公，风华妍丽，留下的作品已极少了。后学汉隶、北碑，苍劲朴茂。晚年学怀素，又非常喜王羲之《兰亭序》，但学他的神韵和情趣，而不在形貌。一些著名的艺术家也都珍视他的书法。如康有为年轻时见到先父书法，曾谓“除我外，世尚无与此公匹敌者”。于右任与我二姊夫程沧波谈艺，曾说：“名山老先生书法比我好。”先师张大千喜仿先父书，事见郑逸梅《艺林散叶》。徐悲鸿曾致函我大姊夫谢玉岑，托他收集先父书件:“但求精品,不嫌其多。”朱屺瞻自述:“予画艺之成,曾受名山先生启发。”

先父晚年喜画墨竹,那是书法的另一种表现,更是他性情的流露。他画竹,有时清疏挺峭,有时剑拔弩张。

我家自曾祖父始,富于藏书。我的每一位姊姊出阁都有四大书橱书籍作为奁赠。我于归时,已是抗日战争时期,家中藏书已在战火中付之一炬。因此先父只能将他平时所积书件,作为我的奁赠。

从马公愚说到施剑翘

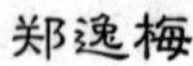

“书画传家二百年”的马公愚,浙江温州人。温州水木清嘉,为江南名胜之区。清人项燕湖有诗云:“碧流如玉驾扁舟,树影恋离夜气秋;新月一钩花两岸,水香扶梦到温州。”灵秀所钟,毋怪代有传人,公愚其一也。公愚民初即来沪鬻书,初名公禺,号冷翁。既而觉“禺”字不通俗,加心字底为“愚”。我曾和他开玩笑说:“公真有心人啊!”

他正草取法钟王,篆隶雍容古茂。所书碑碣,数以百计,拟汇集缩印成册,未果。著有《书法讲话》、《书法史》、《耕石簃杂著》等。一时从之者甚多,刊有《耕石簃同门录》,如姜半秋、任政、贝聿玿、金缄三、雷佩兰等,均有成就。尤以施剑翘为其女弟子中之最杰出。以一弱女人,手诛五省联军总司令大军阀孙传芳,轰动中外,中西报纸,纷载其事,且演诸红氍,搬上银幕。

剑翘,安徽桐城人,父亲施从滨,任山东军务帮办,兼第二军军长。孙传芳以扩充地盘,率军北犯。从滨抗拒失败,被孙执而置诸死地。这时剑翘年才二十,她把父亲所遗一支五响手枪,视为至宝,立誓为父报仇。民国十七年,她随母寓居天津,当时有同乡又复同姓的施靖公其人,曾受从滨培植,愿为报仇之助手,彼此意气相投,剑翘便与靖公结婚。岂知事后同床异梦,靖公丧失侠气,有背诺言,剑翘遂与之疏。但报仇之心,始终没有动摇。可是孙戒备森严,无从下手。

有一次,听得孙将阅兵,认为机会难得,便自饰一缝穷妇,携一竹篮,破布中藏一炸弹,到了阅兵地点,孙果然戎装跨马,卫队如林,把附近观众驱逐殆尽。她没有办法,只能奋力从远处猛掷一弹,砰然爆炸。奈目标不准,有如博浪一击,误中副车。当时大索凶手,剑翘不慌不忙,若无其事,幸得脱身逸走。因此自赋一诗:“一再牺牲为父仇,年年不报使人愁。痴心愿望求人助,结果仍须自出头。”

直至民国二十六年,孙失势下野,自知孽重罪多,皈依佛门,常赴佛教居士林,诵经忏悔。她得知这个消息,喜出望外,又赋一诗:"父仇未敢片时忘,再痛堂上两鬓霜。深怕重伤慈母意,时机不许再延长。"她也设法参加居士林为居士。一日赴居士林,适孙正在顶礼,认为机会大好,岂知探怀空空,忘了携带手枪,急匆匆回家取枪,及到居士林,孙已礼毕离走,大为懊丧。过了一天,怀枪再去,正巧孙伏在蒲团上拜佛,她立即连发三枪,孙饮弹殒命。一时秩序大乱,她却打一电话给警察局自首,一方面把她写好的书面传单给人们阅看。内云:"各位先生注意:今天施剑翘打死孙传芳是为先父施从滨报仇。详细情况,请阅我的《告国人书》。大仇已报,我向法院自首。血溅佛堂,惊骇各位,深以至诚向居士林及各位先生表示歉意。报仇女施剑翘谨启。"

剑翘入狱,被判徒刑十年。由于各界人士的呼吁,得减三年。终由冯玉祥申请中央,得予特赦出狱。原来冯玉祥和从滨的哥哥从云(辛亥革命烈士)为谱兄弟,剑翘拟办一小学,即由从云之子仲达为校长,商借苏州安徽会馆为校舍,命名从云小学。为了经费不充,其师马公愚柬邀书画家及新闻界,设宴招待,俾得宣传及捐助书画。当时郑午昌、孙雪泥、秦瘦鸥等都来参加,我亦列席。施剑翘当众述其经过,我出一纪念册,请剑翘签名,剑翘为书"正义呼声"四字。

若干年后,剑翘子羽尧来访,出示其母亲身穿囚服的照片。又冯玉祥在从云小学门前的照片,我珍藏之。

名书家不同风格

涂润舟

王一亭(震)别号白龙山人,王氏为海上工商界闻人,交游广阔。其书法,虽订有润格,但常有熟人介绍求件不送润资,王氏一律应酬,但在下款“王震”上加“白龙山人”四字。“白龙”者谐音“白弄”也,喻白白劳累,一无所得也。

清末民初书家,当科举初废之后,犹沿馆阁体余绪,方整端严,模仿唐人。及至李梅庵瑞清卸任江苏藩司,为海上寓公,念念不忘清室。自署“清道人”,全称“玉梅华庵清道人”。在报纸大登广告,自谓专习三代两汉六朝。篆仿钟鼎,楷用方笔,每笔蜿蜒如蛇行,字大逾尺,使人耳目一新,生意兴隆。每天到闽菜馆“小有天”晚餐,并为该馆制联云:“道道非常道,天天小有天。”其友衡阳曾熙闻而羡之,亦来沪卖字。清道人为订润格,大加揄扬。曾熙字农髯,亦习汉魏六朝,却用圆笔。以北京推李,而自诩南宗。这时康有为《广艺舟双楫》一书,正在印行,尊魏抑唐,蔚成风气,馆阁诸家,黯然失色。

凡附庸风雅之富户,对于上款称呼,甚为注意,希望博得“方家”“大雅”之名,以掩盖其无学。曾农髯、李梅庵识破此等心理,将计就计,不

论谁何，皆署“某某先生法家正之”，以广招徕。郑孝胥用“某某仁兄大人雅属”，不亢不卑，也符合求书者心理，生意也不错。国学大师章太炎则毫不客气，上款只称“某某属书”并无称呼。求者震其名，虽聊备一格，但毕竟不大惬意，生涯远不及曾李之盛。

康有为以“圣人”自居，高抬身价，除按尺润例特高外，并且声明不题上款，如坚欲上款者，须加三倍计算。有好奇者，曾加价请题上款，也只是“某某仁兄”四字，不免扫兴。但康氏却有一方长句图章，为他家所望尘莫及者。文曰：“维新百日，出亡十四年，三周大地，游遍四洲，历三十六国，行四十万里”云云，岂周游列国，足遍环球，即此一端，而自称圣人欤？

天台山农

金德建

刘山农，名青，字介玉。浙江天台人，擅长书法，署名天台山农。父早故，幼年随母从台州来嘉兴。赁屋嘉兴南门砖桥弄，后购宅砖桥弄北端广平桥南堍。宅坐西朝东，大门直对校场(今称体育场)。

山农青年时，与医家金公度，儒士钱吟僧通谱，结为兄弟之交。金公度善刻印，系我家远房伯父,曾随侍其师青浦陈莲舫赴京为清德宗(光绪)治病;钱吟僧,宜兴人,久寓嘉兴,后在秀州中学掌教。

辛亥革命前,刘山农赴上海,与沪上黄楚九友好。遂留沪卖字为活,书法魏体。沪上市肆招牌,天台山农写者占多。余如清道人,七子山人也写市招,亦近魏碑,然不及刘氏多见。黄楚九创办企业不少,广告宣传,颇借重天台山农的书法。

山农在沪,与袁寒云及步林屋通谱,结金兰之交。林屋擅文章,寒云搜版本、集古钱;山农喜觅古玩。

山农外甥、诗人朱大可,曾任教无锡国学专修学校沪校。少时得山农教育,只是书法跟舅舅背道。大可楷书端正,落笔有千钧之力。三十岁时著文《论书斥包慎伯、康长素》(刊《东方杂志》1928 年春《中国美术专号》)。

我家老屋在嘉兴报忠埭,转弯即到刘家。所以上辈二家往来不绝。山农晚年返嘉兴,仍住广平桥头,时在 30 年代初期。家叔金幼安行医,治伤科,山农即写对联为赠:“三世医泽流槜李,九折肱术擅华佗。”因我家曾祖以下世代有业中医,故云。

山农住禾不多几年,即逝世,年逾花甲。

邓散木粪、厕有缘

林乾良

邓散木《篆刻学》一书出版，风行海内外，其有功于印学者多矣。邓氏原名铁，后改散木，其意为朽木也。号粪翁，其斋则名“厕简楼”。以“粪”、“厕”为号，自古无之，实为惊世骇俗之举。原来“粪”“厕”两字，看似浊恶，而内含清隽。为一般人所不知。“粪”除也。“厕”清也。均见《说文解字》。是则世人皆以为恶，而邓氏实清高自赏也。

诸暨余任天，与邓散木在师友之间，相知有年。

邓氏所居，曰“三长两短斋”，并以之名所刊印谱。“三长”者，书、印、诗也。“两短”者，词、画也。其实邓氏非不能词、画，惟自以为不工耳。

邓散木年轻时，与鄞之朱复戡不相识，惟见商务出版之朱氏印谱，极古劲，意其必为前辈，遂挽人说合，欲拜朱为师。及至，师徒相见，朱乃粉面郎君，邓为之踌躇者久，勉强下拜成礼。其事世人罕知之者，朱公偶与印迷述及，一时传为美谈。

三斤半绍兴酒

钱君匋

日本战败后二年，老师丰子恺自邻园村余宅迁居福州路章锡琛旧宅。一日下午约余至王宝和酒店楼上共饮，每人一壶，每壶绍兴酒半斤，自饮自斟。约定饮毕可将空壶倒置桌上，侍者即送来第二壶。如此者七次，即各饮绍兴酒三斤半矣。丰师笑言此又合“开明酒会”七五折之数。盖“开明酒会”须饮绍兴酒五斤方可参加，而余饮量不及此数。夏丏尊云：“君匋如参加酒会，可作七五折计算，大拍卖了！”闻者咸笑夏丏尊善做生意，以七五折大拍卖招徕酒会会员。丰师则以抗战前余人“开明酒会”事相谑，甚为亲昵之言也。时余之同学，亦为恺师之学生陈啸空，已病废家居，落拓人间，乃倩其第二夫人许静臂挽竹篮，于每日下午至王宝和等各大酒店兜售牛肉干之类佐饮小食，赖其微利，以度生活。许静挽篮至余等前，不意竟为极熟之人，急赧颜匆促下楼他去，不知所终。而猝然之间，余亦不及招呼，失之交臂。更因不明陈之住址，资助无门，诚人间憾事！余与丰师开怀畅饮，而余之同学则一贫如洗，未免心中戚戚，怅然不已。

“花 人 会”

六十年前旧上海有所谓“花人会”者，主持人为上海富商周湘云。湘云于收藏磁铜玉石字画之外，惟名花异草、嘉树美箭是尚。家有“学圃”花园，每年花时，湘云辄招邀胜侣，来园欣赏名花，且例有文宴。与会者有商笙伯、姚虞琴、赵叔孺、王福庵、徐凌云等人。商、姚为画家，赵、王为金石家、徐为曲学家，均一时之选。后时局不稳，诸人亦年事日高，湘云更深居简出、意兴阑珊，“花人会”无形消失，盖时移世易，风流云散，凡事无不然也。

千岁会

蒋孝游

1943年上海有二十位同龄五十岁的文艺界名流集合组会，合起来一千岁。他们都是肖马的,所以简称“马会”,亦名“千岁会”。他们都有爱国思想,相约誓不为日本帝国主义服务。按出生月日，最早的是国画家郑午昌，生于正月初十,大家尊之曰:“马首”。出生最晚的是杨清磬,农历腊月生,戏称他是“马尾”。其余有吴湖帆、梅兰芳、周信芳、汪亚尘、张乃燕、范烟桥、李祖夔、秦清尊等,其余的人我已记不准确了。当时上海各报都有报道,称一时盛会。

“新雅”是上海最早的文艺沙龙

李小波

写文章的朋友有不少爱坐茶馆。如苏州的“吴苑”,我故乡常熟石榴山脚上的“逍遥游”,以及上海城隍庙的“湖心亭”等。

在上海四川北路虬江支路口的“新雅”,是

一家广东茶店，一开间、二楼的茶室，座位也并不多，较之南京路同样是广东茶馆的“冠生园”要小得多，却被林徽音发现了。当时徽音正在为《时事新报》副刊写小文章，拿到稿费爱坐茶馆。由于这茶馆地段安静，尤其是餐具消毒的可靠，店主还经常请茶客参观他茶具等的可靠消毒，便吸引了我们中爱坐茶馆的人。如傅彦长、朱维纪、张若谷、黄震遥、戴望舒、刘呐鸥、邵洵美、叶灵凤等。只要在座有邵洵美，那所有茶点费或者中午便饭等，概由洵美包办付账。而这家广东小茶馆，也由于常在写文章朋友的文章里出现，便逐渐出名了，营业也好了起来。

后新雅迁到南京路，规模大了好几倍时，二楼的茶座分了东西厅，扩大了，茶客除写文章的朋友之外，还有戏剧界如应云卫、袁牧之等，电影界如王引、艾霞等，女作者有潘柳黛等，以及摄影家、画家、小报作者，正是集当时文艺界之大成。名摄影家郎静山似乎还是新雅扩充的规划者。

不少文艺界的人几乎每天必到，风雨无阻，因此，如果说这家广东茶馆“新雅”是上海最早的“文艺沙龙”，我以为也是名符其实的。

“腊雪斯”文艺舞厅

季小波

大约30年代，我住在上海四川北路。有次，路遇朱维基。他拉了我就走，到海宁路四川北路口的一个大楼上去。到门口，维基笑了。一进门，满屋漆黑。忽然听到翻译家芳信的声音，“魂断蓝桥”的曲子放了，在暗淡的灯光下我莫名其妙。接着，来了一位颇具风姿的女士，拉着我：“小波，现在你好学了。”灯光更暗淡了，我“拉黄包车”，她讥笑我。她就是“梅花歌舞团”的团长魏雪波女士。我学交谊舞，她给我上第一课。

当时上海文艺同仁除上茶馆聊天外，别无去处。芳信因此异想天开，搞了一所没有伴舞女郎的舞厅，叫“腊雪斯”，在今之凯福饭店二楼，似乎是专供文艺界娱乐的，唱片由大家捐助，从古典、爵士到民间小曲，颇为丰富，可以随意的选，但，选曲规定要先打招呼，征求舞众同意。

在这屋里的，可以说都是文艺界的老朋友，以及文艺爱好者，甚至，吸引了道貌岸然端正地坐着笑眯眯的欣赏者，如傅彦长、梁得所，有人说李青崖也光顾过。

可惜，老板芳信的主旨是与人同乐，但做的却是亏本生意，因此不久就关门了。

清末上海的书画会

丁　悚 遗作　戴广德 整理

“海上题襟馆金石书画会”，创立于清光绪二十六年(1900),首任会长是书法家汪洵,吴昌硕为副;汪去世后,昌硕继任,而以哈少甫、王一亭为副。经常莅会的有俞语霜、黄山寿、吴待秋、任堇叔、朱古微、赵叔孺、黄宾虹、商笙伯、狄楚青、姚虞琴、贺天健、钱瘦铁等。白天到会的较少，晚膳后始渐至，一张可容二三十人的长方桌,总是围坐得满满的,十时许始散。话题除有关金石书画外,兼及晚清政治掌故。会员常陈列收藏的珍贵书画，供大家观摩，兴到则即席挥毫,互资欣赏。

“文明雅集”创立于清光绪三十四年(1908),发起人为俞达夫。其时上海书画家及鉴赏家辄以茶馆为会所。书画之余,藉可纵谈今古,品茗博弈,有时亦合作书画,以茶楼为寄售所。该社地址在福州路山西路口一茶肆中，后迁城内凝晖阁,嗣又盘与松月楼。

“豫园书画善会”于光绪三十四年(1908)成立,发起人钱吉生、杨东山、吴昌硕、沈心海、高邕之、杨了公、蒲作英、王一亭、何诗孙、程瑶笙、金巩伯、潘雅声等。他们以慈善为怀,赁得意楼茶馆为会址，把各人合作书画，陈列会中待沽，售得之资，存放钱庄生息，遇有慈善事宜，公议拨用。冬施米，夏施药，历时颇久。

此外，尚有"宛米山房书画社"、"上海书画研究会"、"青漪馆书画会"、"文美会"等，论声势远不及前面三个大，故当时知者较少。

上海早期的西洋画会

丁　悚 遗作　戴广德 整理

上海的西洋画会，最初有1915年创立的"东方画会"，地址在西门城内。由乌始光、汪亚尘、陈抱一、俞寄凡等组建，以画会形式，共同研究，促进西画运动。曾专程赴普陀作旅行写生。惜未建立巩固基础，又以主持人先后赴日留学，无形解散。

"晨光美术会"于1921年成立，发起人有朱应鹏、汪英宾、张聿光、陈抱一、宋之钦、萧公权等。当时人体写生的"模特儿"，除上海美专独有外，颇不易觅。后得俄画家朴特古斯基之助，雇用一俄女供会员实习。会员由三十余人增至三百余人，已故电影名导演史东山(原名匡韶)是初期会员。

"白鹅画会"后易名"晨光画会"，由陈秋草、方雪鸪、潘思同、都雪鸥等发起。会址初设横浜

桥，继迁溧阳路，“一·二八”事变又迁北京西路，最后武定路，“八·一三”抗日战争后停顿。

此外，尚有“天马画会”、“组美艺社”等，或历时短暂，或不为人所熟知，故略。

忆“云天集”艺友聚餐

华香琳

1947年秋，我与言慧珠、陈德珍、范石人等，为联络友谊，发扬戏剧艺术，发起聚餐会。因首次在国际饭店18楼云楼聚会，故定名为“云天集”，兼具“义薄云天”之义，大伙儿以兄弟姊妹相称。此后经常在云楼、五层楼及慧珠和我寓中欢聚。第一次参加聚餐的尚有童芷苓、言少朋、言慧兰、曹厚载、江一秋、焦鸿英、李蔷华、李薇华，连我们四个发起人共十二人。

有一次，约1948年冬，在衡山路朱家欢聚，到的人最多。有曾任市商会会长的王晓籁，还有皇后大戏院经理张镜寿及一些名票友如卢明悦、郁庆镛等，“评弹皇后”范雪君、“平剧亚后”曹慧麟、名坤伶项墨瑛也翩然来临，餐后复合影留念。此照在“文革”时曾撕毁，今又重新粘接，得以幸存，弥觉珍贵。展观此照，如言慧珠等皆已作古，真不胜沧桑之感。

谭鑫培一气回北京

罗亮生 遗作　彭古丁 整理

1915 年谭鑫培第六次来上海演出，距第一次来上海已 36 年，当时名满京沪。演出于城里九亩地新舞台，10 天唱下来，场场客满，售座收入高达三万余元。戏园交谭八千元酬劳，即每场八百元，在当时是属于最高的包银了。谭鑫培喜出望外，为了酬答上海观众对他的拥戴，告知林植斋，愿以每场三百元包银再演数场。林植斋以此见商于丹桂第一台经理尤鸿卿，岂知尤仅肯出价二百五十元。谭鑫培气愤之至地说："把我当二百五？岂有此理！"一气之下，急回北京。谭鑫培时年已六十九岁,从此一去,与上海永别,不少行家观众大骂尤鸿卿辜负人家一番好意,错过机会,才真正是个道地的"二百五"。

"百代公司"对余叔岩前倨后恭

罗亮生 遗作　彭古丁 整理

余叔岩第一次来上海,搭四马路丹桂第一台,演期一月。所演谭派名剧相当精彩;李佩卿操琴,亦为之生色不少。余是出了名的谭派艺术继承人,票价极高。但毕竟由于初来乍到,上座不够理想。他就想找百代唱片公司为他灌唱片,以造声势。岂知百代经理张长福看不起余叔岩,认为余的票价高是同行捧起来的,实际卖座率低,不愿为余灌片。我劝说:"趁余名声未噪,即可低价代灌,一举两得;待声价噪时再灌片,花费就大了。"张长福不听。事后不久,余叔岩名声大振,张长福急忙忙赶到北京,费了多少周折,出了很高代价,才收灌到余叔岩的唱片。前倨后恭,自食其果。

梅兰芳爱乡情切

王退斋

誉满全球的戏剧泰斗梅兰芳先生祖籍江苏泰州,住城东郊鲍家坝。当年祖父巧玲因生活困难,外出谋生,率妻子居苏州,后迁北京。兰芳生于北京。原可称北京人或苏州人,不称泰州人。尽管社会上对苏北人有成见,但他不忘祖籍,热爱故乡,仍称自己是泰州人。民初,旅京泰州同乡人组织同乡会,他申请参加,被拒绝。后来旅居南京的同乡又组织同乡会,再请参加,仍被拒绝。但他的爱乡之情,并不因之冷淡。抗战胜利后,旅居上海的泰州人又组织同乡会,主其事者,是我的表兄单毓华律师,与他同住马斯南路(今思南路)为紧邻,告以此事,兰芳欣然赞成,并表示愿尽力资助。后在玉佛寺开会,他因事未能到会,来电话表示祝贺并向诸同乡问好。同人选他为名誉会长,他欣然接受。单当选为会长。余与另几位同乡为理事。时在1946年冬季。

1956年3月,兰芳已六十三岁,由于怀念故乡,特偕夫人福芝芳,幼子葆玖,从北京到泰州祭扫先茔,访问地方父老,询问先世事迹。有一位劳动人民梅秀冬,是他的再堂兄弟,会见时与之握手说:"大哥,我终于回家看你们了!"叫葆玖

喊大爹。对泰州市委工作人员说:“感谢你们清理了我的家谱,找到了祖先的坟墓,实现了我多年的愿望!”这种慎终追远、孝思不匮的精神,真足以风砺薄俗。在家乡期间,曾演戏三天,门票收入,悉捐故乡赈灾。

兰芳的戏剧艺术成就,是和他兼擅诗画分不开的。他先后从王壬秋、易实甫等著名诗人学诗,认为戏曲中有诗,则戏曲更美。他在戏曲唱词中有所改革,力求语言典雅脱俗。词家朱古微见其《嫦娥奔月》中唱词婉丽高雅,大为倾倒。南通张啬庵(謇)曾邀请他到南通演戏,赠诗很多。兰芳临别时答以诗云:“人生难得惟知己,烂贱黄金何足奇。毕竟南通不虚到,归装载满啬公诗。”

兰芳初学画于罗瘿公,后结识了陈半丁、陈师曾、姚茫父、徐悲鸿及吾乡凌直支(文渊)诸画家,虚心苦练,卓有成就。余曾见其所作梅花颇得凌直支点染之法。又曾从敦煌壁画中飞天形象,揣摩舞姿,运用于诸舞蹈剧中,使姿态更为优美。

兰芳逝世,泰州市举行追悼会,余作挽联云:

举凤回鸾,引商刻羽,绝艺擅梨园,一代声华辈薄海;

蓄须明志,援手赈灾,高风崇梓里,千秋祀典垂乡邦。

忆梅兰芳

何时希

我和梅先生舞台上的老伙伴姜妙香先生相识于1938年,七年后才与梅先生相熟。那是在老友张古愚筹刊《中国戏剧》月刊的筹备会上,他由姜先生介绍,和我接席而坐,谈得很多。不久即由姜先生转来梅先生的一张便装照，说是从未发表过的,我们即把它刊在《中国戏剧》上了。此后在社交场合,我们相见甚频,每到散会,他总说“何先生请”!我们互相谦让,以后常是“你我不分先后,挽手而行”(舞台常用语)。在这类交际中,总感到他这一种“谦谦君子”之风,是旧社会所谓“伶界”中极为难得的道德与修养。这一点当时我不十分领略其可贵，以为姜先生与我亲如兄弟,谊比师友,他对我讲了许多梅先生的美德,也可能对梅先生吹嘘了些春风,所以这样和蔼可亲;又一方面,以为梅先生早年在“逊清遗老”中受过熏陶,又出国演出时接受了东、西方的礼节,而形成了这样令人心醉的仪表,但又不仅是表面,而是发之于内的。

是年夏、秋之间,我请他吃饭,仅有姜先生夫妇、姚玉芙、王幼卿及我友张君、陈君等作陪,因为梅先生已决定在美琪大戏院演出昆曲十天

(后因观众热烈要求,加演三天),我聊表庆祝之意;同时张君表示每天订十张座以为捧场。这个小宴会笑语频频,熟不拘礼,很轻松愉快而散。迨至演出前,姜先生交给我一个梅剧团徽章,是小圆形红铜质的,说梅先生请我做梅剧团的义务团员,对他的扮相、服饰、身段、表情、词句等等,多提意见。这一下使我受宠若惊了。姜先生还说:梅谓何先生年龄虽不大(那年我才三十一岁),知道戏剧情况还不少,是位可交的正人君子。我这才忆起初识姜先生的席上,曾提过《飞虎山》、《监酒令》的词句问题。从此梅先生与我竟成终身莫逆之交。在请梅先生席上,也谈起《牡丹亭·游园》的唱词"迤逗"问题,我把听到的吴梅教韩世昌是念作"以"音,与"迤逦"之音同。梅先生即说:曾请教过俞振飞兄的先尊粟庐先生,其念音与吴梅同。我又说:当吴梅有事回苏州时,请赵子敬代教韩世昌,不想"迤"字给改作"拖"音了。世昌上演日,吴梅欣然入座,当世昌唱至"拖"逗时,吴拂袖大怒曰:"孺子不可教也",从此就不给世昌教曲了。梅先生听此旧事,大感兴趣。

再后他在南京大戏院(即今上海音乐厅)演出时又给我送来黄色梅花形的梅剧团徽章,当然我也给他提了些贴片子大小影响面庞肥瘦;每出戏的头花插戴浓淡;繁花孔雀大幕与服饰搅色;以及他面向台下某角或眼神太多等问题,他都虚心又感谢地接受了。

以上仅略谈他的谦德。限于篇幅，梅家酒阑客散，梅先生亲自分类检点残肴的俭德；因李蔷华扮相有些像他，经我陪去，立即叩头认徒，坚嘱不必费礼请客的爱才；和从善如流等，都是很值得铭念的。

张汉举做了梅兰芳的替死鬼

吴文漫

张汉举是北洋军阀时代在北京很有名望的一位绅士，其人交游甚广。

当我十三岁时，我养母曾带我去张家赴宴。记得房子很大，真好比进了大观园。他家小孩甚多，带我各处玩耍，尤其在花园里的大花厅玩的时间最长，所以至今印象很深。

谁知不数日，即闻说张汉举被人枪杀身亡，并说是做了梅兰芳的替死鬼。

后经家人谈及当时情况，原来某晚张在家宴客，梅兰芳也被邀请在内，席间忽报外面有人要见梅先生，张汉举自告奋勇地说："我去看看……"谁知还未走到大门口，已身中数枪，当场死亡。据说梅闻枪声，急跳墙而逃，幸免于死。凶手当场被捕，据说是一位大学生。至于谋杀梅的真实内情，因我年幼不得而知。

我记忆中最深刻的一幕，即当时北京《顺天

时报》曾载有一则新闻，关系此事。报导很简单，最可怕的是刊出一张凶手的照片，那是电线杆上挂着的一个人头。胖胖的脸，大块头，十分可怕！

周信芳与江寒汀的友谊

曹用平

周信芳先生是京剧艺术一代宗师，他还爱好丹青，与国画艺术结下不解之缘。

1940年间，周信芳女婿张中原，在南京路梅白格路(今新昌路)西首开了一家红木家具店，取名“大观园”。张氏善书画，在大观园内设有画廊，置画桌，文房四宝齐全。陈列并出售书画盆景，实为文人雅士的集会之所。

饮誉海上的国画家江寒汀先生，每天下午必到，每每当场挥毫。他爱好京剧，尤喜麒派艺术。周信芳先生也是这里的常客，由于酷爱书画，彼此慕名，成为好友。周提出要从江学画，江欣然首肯。于是一个是虚心求教、一个是精心指授，“大观园”的画室成了两位艺术家探讨艺术的场所。有一天，江寒汀给周信芳示范，画了一张花鸟小品，花枝迎风吐艳、小鸟鸣唱花丛。周横看竖看，不识所画为何鸟。周口念京白问江：“这个鸟儿叫什么名字？”江答曰：“这鸟叫小花脸。"周又口念京白:"哦! 原来叫作小花脸儿!"一时,引得在座文人雅士拊掌大笑,传为美谈。

麒麟童嗜荤不喜素,盖叫天嗜素不喜荤

曹慧麟

我们知道信佛茹素的人忌吃荤腥，却未听说有忌食蔬菜只吃荤腥的人。

临近解放，我曾和麒麟童合作去无锡等地演出。在那次演出行将结束前，麒麟童两眼充血,医生关照他忌食荤腥,只能吃素菜。那天晚上吃饭时,桌上仍摆有多种荤素菜肴,但我见麒麟童桌上的菜肴一概不吃，只用酱油汤浇饭充饥。那时在座的有吕君樵等。我不禁好奇,问及他的夫人,据说,麒麟童从小就不吃蔬菜,吃饭时佐餐只吃鱼、肉、鸡、鸭,尤其爱吃的是鸡;一吃蔬菜就要呕吐。

然而另一名伶盖叫天(张英杰),却与麒麟童相反。我在舞台演出时,和麒麟童、盖叫天都曾同台演出。我发现盖叫天因信佛,长斋茹素,不吃荤腥,且日常静坐练功。我每次演出前去他家和他一同说戏,总见他盘腿而坐,两目垂帘,在用功练气;我在他佛堂里,只能默不作声地静坐

一旁,约须经过半个钟点的光景,然后才和他说戏。

麒麟童不喜蔬食,盖叫天长斋茹素。南方一文一武的两大名伶,在饮食上竟如此差异,亦是一件趣闻。

盖叫天勇斗印度巡捕

谭金霖 口述　李　云 整理

1914年前,洋泾浜还是黄浦江的一条支流,尚未填浜筑路,它是当时英、法租界的分界线。在南边法租界站岗的是戴安南帽、牙齿黑黑的安南巡捕;而在北边英租界站岗的却是面色漆黑,头缠红巾的印度巡捕。

当年著名京剧表演艺术家盖叫天、祁彩芬、李德山、李永利、王益芳和我的父亲谭永奎都没有搭上班(后来他们分别合作演出了《三岔口》、《武松打店》和《白水滩》等),就一起在长浜路(今延安中路一带)两旁的"开挖"(空地)上练功,他们常常整天都在那里翻跟头、练手把式等。

一天,他们练完功回家,盖叫天忽然一时兴起,独自一人边走又边练起了打飞脚,发出一连串"啪啪"的响声。印度巡捕听到声音,以为是枪声,连忙跑过来,冲着盖叫天"叽哩呱啦"地喊,说他扰乱治安,要把他抓到巡捕房去罚钱。当时盖叫天二十多岁，年轻气盛，打着手势比划着，示意巡捕走近些，可没等他到跟前，盖叫天迅速飞起一个扫堂腿，冷不防把巡捕摔了一个大脑壳。巡捕爬起来要抓盖叫天，我父亲连忙在一旁劝着："对点子(同伙间相互的亲切称呼)，别着！别着！"盖叫天却满不在乎地一摆手："不怕，快快到河那边去。"于是他们有的翻跟头，有的蹦过去，一眨眼全都到了对面的法租界上，气得印度巡捕只能望"洋"兴叹。

轿夫步法对程砚秋的启发

洪荆山 遗作　彭古丁 整理

程砚秋少年学艺是"青衣"，每日练步要用手捂着肚子，用脚后跟压着脚尖的走法来练，教师说这样才能表现"端庄流丽而又刚健婀娜"。

砚秋初不明其中道理，照样苦练，但后来有了较长的舞台实践经验，对此产生怀疑，认为这样捂着肚子走步，很难表现出端庄美态，于是他注意从实际生活中探索端庄的美。

一天，他在北京前门大街看到抬轿子的轿夫脚步走得极稳而有节奏，感到有美感。就跟在轿夫背后直盯着轿夫的脚尖，两脚交替，总是脚尖先着地，而走起来步稳轿稳，前后两人节奏合拍，一闪一摇，轻松而不吃力，这是多么好的脚尖着地的步伐!他回来将这看法想法告诉老师王瑶卿。王深有同感,并教他这种脚尖先着地的平稳“碎步”走法,先将一碗水顶在头上,练到走起路来水不泼出,才算成功。砚秋照此苦练,终获成功,突破青衣捂着肚子练脚步的死板走法,成功地排出《梨花记》中大家闺秀雍容端庄、严肃大方的台步,博得行家和观众的热烈称赞。

言菊朋、朱琴心曾入财政部

陈声聪

当国民党北伐,北洋军阀政府面临崩溃之际,张宗昌军队曾一度入据北京,任潘复为财政部长,朱有济为次长。朱与菊部素多往还,乃派言菊朋、朱琴心二人为财政部科员,分配在赋税司第三科办事。第三科乃办理关税者,时坐位已满,乃别置之对面会议厅中。终日无事,二人相对而坐。部中同人闻其名者,多欲一觇风采,使言、朱踧踖不安。不数日,二人皆不再来坐班。

陈大濩到京拜师

金玄木

京剧界素以谭鑫培为须生泰斗，故习须生者，莫不以谭派为正宗。谭去世后，即以余叔岩为谭派艺术的继承人。叔岩曾与梅兰芳、杨小楼等名伶合作，甚有声誉。30年代，杭州票友陈大濩，在铁路局工作，研究京戏多年，有“杭州余叔岩”称。后来下海，欲拜余叔岩为师。到京之时，正值余病。二人本不相识，由友人介绍，余因不知其造诣如何，未遽应允，云俟陈在京演出后，再作决定。

演出之日，余在病床前收听播音，甚为赞许，认为是可造之材，决定收为弟子，俟病愈行拜师礼。不料余竟一病不起，故陈大濩终未正式拜师。现陈亦年逾古稀，在杭州京剧团执教，他的录音唱段，确为当今京剧界继余叔岩后之佼佼者。

刘宝全与杨宝忠

金玄木

刘宝全本习京剧须生，因当时谭鑫培有高名，知难抗衡，乃改习京韵大鼓，声调圆润，高低适度，配上三弦，更觉悦耳动听。声名于以大振，号称“京韵大鼓大王”。曾来上海献技，我曾前去观看，时马连良亦在座中，当刘宝全一登场，马连良即起立向他招呼，满座观众惊奇不已。

名琴师杨宝忠本亦习须生，曾拜余叔岩为师。后因嗓音失润，改业操琴，为马连良的琴师。如胞弟杨宝森登台献技，就为其弟操琴。因艺术高超，深为观众倾倒。出场时，他不在旁边就坐，而是先到台前向观众鞠躬致意，每次博得热烈掌声。这也是舞台上所罕见的。

南方演员刘汉臣与高三奎之死

吴文漫

我的童年是在我养父北洋军阀阎泽溥家度过的。因此，耳闻目睹鲜为外界所知之事不少，至今记忆犹新。

我12岁那年,某晚,忽见仆人来报,说有两位南方老妪求见。继果见有两位老妪双双入堂跪地,号啕大哭。问其故,原来她们的儿子乃是南方著名演员刘汉臣和高三奎,近日正在京演出,于昨日被军阀褚玉璞派人抓去,求阎大人设法速去求情,否则有性命之忧。罪行据说与褚的某姨太有关。我养父一面令其暂回,一面允代为说情。打发二妪去后,即通电话与褚玉璞约定会面时间,但已经晚了,刘、高早已被拉出枪毙了。

我当时年幼,虽详细情况不得而知,但长大后,回忆此事,犹可得出结论:既然刘、高两演员与褚玉璞之姨太太有来往,难免涉及桃色事件。料想情况大概与《秋海棠》相差无几。

外国人演中国戏

刘祈万

几年前,有些美国人来上海演了一出京剧《凤还巢》。服装扮相、音乐伴奏、身段神情都按照京剧程式。唱腔虽也用京剧原来的曲调,却把原词译成了英文。这是一次别开生面的演出。我在电视中看到,觉得非常新奇,使我回忆起五六十年前看过的两次外国人演的中国戏。

一次是1936年的一场德语《牡丹亭》。当时有些德国人来到上海，在兰心大戏院(今上海艺术剧场)演出。是德国人将牡丹亭传奇译成德文缩编成一出话剧。男女演员都穿着中国古装戏的服饰，没有音乐伴奏，也没有身段，完全是话剧形式。服装与昆曲也不完全相同，柳梦梅戴的是必正巾，而昆曲《惊梦》柳是戴文生巾的。我虽不懂德文，但从排场看来，情节与原本相差不多，我是为了好奇才去看的。

另一次则是道道地地的京剧了！时间是1929年或1930年，那天是阴历七月初七日，据说是哈同夫人罗迦陵的生日，在哈同花园中演堂会庆寿。我由我的亲戚带领至园内大厅中看了一夜京剧。戏目很多不能尽记。惟其中有一出《天霸拜山》，演黄天霸的是一个外国孩子，年龄大约十五六岁。他演了一出纯粹的京剧。除了相貌是一个道地的外国面孔外，其他一切都与中国票友演的一样。唱念都是中文，也很入调，身段也过得去。配角都是中国演员，配合得很好，并无格格不入之处。据闻此人是哈同之义子，那天串演也算是“莱衣彩舞”。

此外，外国人演中国戏者，听说30年代北京有一德国雍女士者能演京剧。抗战胜利后上海有一外国人名华达的能演京剧花旦。但这两人我都未见过，就不知其详了。又有抗战前在英国留学的熊式一，曾根据戏剧中薛平贵与王宝钏的故事，编过一出英文话剧《王宝钏》，在伦敦及日内瓦演出。当时，我国驻英公使亦曾在公使馆演出，以招待在伦敦的各国使节及英国贵族大臣。我见过此剧的照片，乃西人而穿中国戏装。我也有过此戏剧本，其情节与中国戏相差不多，只是在结束时将代战公主交与外交部长带了下去，盖欲避免一夫两妻也。我还藏有英文《西厢记》、德文《琵琶记》剧本，只是文学性质，不是为舞台演出的。

看白俄跳芭蕾舞

秦瘦鸥

隔了将近半个世纪，“白俄”这个名词恐怕不能不作些注释了。1917年苏联十月革命胜利后，旧俄罗斯帝国的王公大臣乃至地主、贵族之流席卷长期剥削所得，狼狈出逃，有大部分是往西欧去的，被人称为“White Russian”，也有小部分奔向东南，来到了我国哈尔滨一带，或远走天津、上海等市，自然还有逃往日本的。亚洲人便称之为“白俄”。据我今天回忆，逃来上海的白俄大多聚居在旧法租界的西区，中间少不得还有几位伯爵、侯爵、将军，乃至公爵夫人之类。及至我踏进社会，偶然和这些人接触时，他们多已金尽囊空，露出一副穷相了。男子汉有的当看门、司机或西菜馆的大司务，妇女则是当保姆、厨娘，甚至也有沦为妓女的。文化水平较高的知识

分子，也有进入外文报馆，充任一般记者。只有擅长音乐舞蹈的比较走运，或参加乐队，或担任家庭音乐教师，或在酒店里表演一些歌舞节目，尚可维持中等水平的生活。

我结识的第一个白俄少女是在虹口区的一家舞厅里。从她的年龄判断，肯定已是白俄难民的第二代了。由于长期生活在温带地区的中国南方，气候水土都变了，地位也变了，因此这一代的白俄青年，在外型上也大大地变了。尤其是姑娘们，大多身材苗条，肤色白嫩，又相当温柔。我遇到的那个舞女叫爱琳娜，舞跳得极好，我与她同舞，可说是一种享受。多次接触后，她就约我去看她们表演的芭蕾舞，地点在当时的迈尔西爱路(今茂名南路)兰心大戏院，即今上海艺术剧场。

老实说，我当时还只听说过有 Ballet 这种舞剧，却从没有机会看到过。爱琳娜带我去算是给我开了洋荤。但当时他们限于人力、财力，所演的都是一些名剧，如《天鹅湖》、《埃及之夜》、《胡桃夹子》等等的片段；乐队也不过十几个人，跟后来我们所见到的从苏联、法国、英国来的正式芭蕾剧团不能比。但根据我连续看了几次后的印象，觉得至少演员和乐队都是认真从事的，已看得使我这个外行满意而归了。

尼赫鲁与梅兰芳对古筝的欣赏

郭　鹰

我国古筝，音色优美，已有2000多年历史，以至在香港、东南亚地区和美、英、澳、挪威等国，都播下了古筝的种子。香港、新加坡和台湾省，还形成了“古筝热”。

我从事古筝弹奏五十余年。回顾过去，有两桩值得欣慰的事。一是约在1943年夏，口琴家石人望先生邀我带着古筝去一位住在虹桥私人别墅的俄国籍歌剧编导(名已忘)家作客，被邀者都是上海文艺界人士，梅兰芳先生当时也在座。我那时30岁出头，属于最年轻的小伙子。当场，我弹了一曲《寒鸦戏水》。梅先生给我赞拍与鼓励，还当场写了马斯南路(现思南路)寓所的地址，约我去他家作客。

几天后，我按址前往拜谒，承梅先生热情接待，询问古筝的历史并谈及对古筝音色优美动人的好感。此后，我曾数度前往梅寓畅谈。我知道梅先生喜画梅花，曾冒昧向梅先生求墨宝，梅先生以交换作品为条件，因我当时画未成章而作罢，甚为遗憾。

第二件值得一记的事是，1952年我为上海民族乐团古筝独奏演员时，经常招待各国前来

我国访问的国家元首。在一次接待印度总理尼赫鲁的音乐会上，尼氏由周恩来总理陪同前来。我当时独奏一首筝曲《报春》。铮铮的筝音刚止，想不到尼赫鲁对古筝很感兴趣，特请翻译陪同来到我的座前询问古筝的名称。这突如其来的幸事，使我受宠若惊。我想到古筝的音色有点像外国的“吉他”，因此就以“中国吉他”作答。尼赫鲁翘起拇指，表示欣赏，含笑归座。现在回想起这两件事，使我更感谢我们的祖先为我们创造了如此悦耳动听、引人入胜的优良乐器——古筝。

王宝庆的苏州文书

汤笔花

王宝庆系浙江萧山人，祖籍临浦，与笔者系同乡。他以擅说苏州文书《十叹空》饮誉歇浦。他操得一口吴侬软语，评弹界一般都以为他是苏州人。他的唱腔，婉转动听。在上海电台播唱，在书场、堂会演出，深受听众欢迎。旧时的上海民营广播电台多至三十余台，甚至有开设在亭子间、灶间的，电台收费以电力大小为标准。王宝庆所唱的电台倒都是上海第一流的。当年我在电台播讲《聊斋》故事，就与宝庆同一电台，遇到上下档时，他先唱《十叹空》，我接着讲《聊斋》。

同行中就以为我俩既是同乡，又在同一电台播唱，就说王宝庆是“空空先生”(因他唱《十叹空》),我是“鬼大王”,称我俩是一对“宝货”。王宝庆又长又瘦,我却又矮又胖,说书艺人严雪亭就说我俩是“东方的劳莱、哈台”。经过几家小报传扬,我俩名乃大噪。

王宝庆曾在凯旋路开办“花园殡仪馆”,收殡文艺界死者(当时还没有火葬),第一个收殡的是唱京剧的著名花旦贾璧云。

又曾在云南路仁济善堂对面办过残废养老堂,专门收留文艺界的残废老人,他们都是无依无靠者,其恻隐之心如此。

还办过萧山旅沪同乡会，帮助贫苦同乡中受人欺骗、流落异乡者。王宝庆娶妻冯爱珍,患不育症,无后。王的妻弟冯某从王学艺,不改其姓而取艺名为筱庆(后作筱卿)。冯筱卿在余姚评弹界颇著声望。待王宝庆夫妇亲如一家,非常顺从,而王宝庆对待冯筱卿也似家人。王妻冯爱珍擅操胡琴,王宝庆上台表演非她拉琴不可。

初访“鬼大王”

笑嘻嘻 口述　汤政民 整理

“鬼”是说说罢了,那里会有鬼呢!何况是“鬼大王”。人家总以为我是唱滑稽的,说的是滑稽话。不过我说的鬼，确实不是鬼而是人，此人即是过去在民营广播电台播讲《聊斋》故事的汤笔花老先生。

汤老寿逾耄耋，他过去妙舌莲花，口齿伶俐，以善讲《聊斋》故事蜚声电台，誉满春申。因《聊斋》故事多的是妖魔鬼怪，经他如簧之舌，把鬼怪骇人形状，描摹殆尽，把各地听众吓得汗毛凛凛，怕人势势，因此大家给他一个雅号“鬼大王”。汤老是我几十年前在电台经常见面的老朋友，有时和我与杨华生、张樵侬等在同一电台唱上下档，经常见面。因我名阙殿辉，“赤”与“阙”读音相同。我叫他“鬼大王”，他叫我“赤老”。我听了不是滋味，对他说，我还没有老呢！以后别叫我“赤老”。果然以后，我们见了面，他不叫我“赤(阙)老”，叫我“老阙”了，可我脱口而出，还要叫他“鬼大王”。后来，汤老索性叫我“笑嘻嘻”了，我也尊敬地叫他一声“汤老”。

解放后，汤老曾联合几位志同道合的播讲员，到人民、淮海、复兴等公园去讲革命故事，如《铁道游击队》、《红岩》等。至于我呢，一天到晚对人总是笑嘻嘻，笑口常开，笑容可掬，不再演像“七十二家房客”中的流氓恶形恶状。汤老讲革命故事，我也专演滑稽戏中的正派脚色了。

张慧冲的一生

汤笔花

张慧冲,广东人。据巫者云,他命中注定五行缺少水火。及长,才学习游泳,任水手,习航海术,以其秉性聪颖,升为二副。旋又投身救火会,能攀登高楼,身轻如燕,蜚声歇浦。

张慧冲乃广东大族。他性格豪爽,爱赌博。一副牌九,输去巨厦。挥金如土,毫无积蓄。

张自幼爱好文艺,最初投身电影界,拍过不少影片,最著名者有《海上英雄》、《五分钟》。他武艺超群,因有"东方范朋克"之称,为中国电影界扬眉吐气,深受中外观众好评。

由于张谙英语,酷爱魔术,凡各国魔术书籍,搜罗几遍,经他自己刻苦钻研,艺益猛进。

解放后,他脱离消防工作,意图把魔术之花发扬广大,邀吾商议组织魔术团体。经向文化局申请登记,发给执照,组织"张慧冲巨型魔术团"。召集以前追随他的成员闵德张、刘登基、关童等人来沪共襄此举。该团由方正担任会计,我任宣传及交际工作。当即着手制造魔术道具,进行演出。

当时上海中国大戏院经理系吾老友,遂向其说项。然必须先看试演后,始可决定正式演出与否。因夜场有某京剧女伶演出，只允日场，由我联系德本善堂刊登报纸巨幅广告，愿将首场演出收入，扫数捐献该堂作为慈善经费。演出首场爆满，颇受观众欢迎。而夜场京剧演出，卖座冷落。经女伶自愿退场，遂由张慧冲包演日夜二场，场场客满。一炮打红，张慧冲喜形于色。其后，又与龙门戏院订了三年合同，亦日夜满座。张慧冲艺名大振，在全国巡回演出达八年之久。

后来魔术团到海南岛，团内杂务工向菜场购物，因胸前悬有团体证章，适菜场营业员少了五元人民币，认为系魔术团杂务工以魔法窃去。事情传到张慧冲耳中，认为有损团誉，即请菜场营业员来团。谈话间，用迅速手法将五元钱塞入该营业员口袋中，其事始寝。

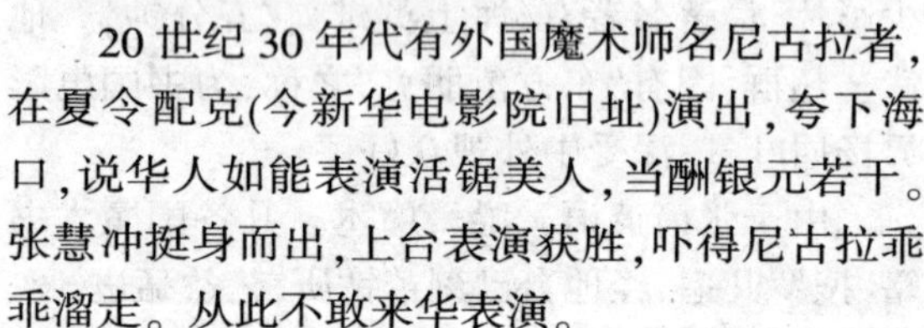

20世纪30年代有外国魔术师名尼古拉者，在夏令配克(今新华电影院旧址)演出，夸下海口，说华人如能表演活锯美人，当酬银元若干。张慧冲挺身而出，上台表演获胜，吓得尼古拉乖乖溜走。从此不敢来华表演。

张慧冲的魔术团，誉满全国，到处欢迎，可说是为中国魔术奠定了基础。以后继起者有华特生魔术团，堪与张慧冲并驾齐驱。中国魔术能有今日的地位，张慧冲当居首功。

天蟾舞台命名寓意

曹慧麟

上海早期演京戏的丹桂第一台，是由尤鸿卿和许少卿两人合组的。尤、许两人后忽因故发生意见，宣告拆伙，许少卿就在二马路另组天蟾舞台。

民间传说，月亮中有株桂树，又有蟾蜍。所以我们把月亮称作“蟾宫”；科举时代，又把登科比作“登蟾宫”，或叫作“折桂”。天蟾舞台的取名，便是“蟾宫折桂”之意；从正面看来，似乎给观众取个吉利口彩。实质上，它的反面却另寓深意，“折桂”就是要拆掉丹桂第一台，显出旧社会同行嫉妒的心理。可见旧社会连取名也极尽诅咒之能事！

黄金大戏院的两副对联

刘诉万

1935年秋，程砚秋剧团来沪演出于黄金大戏院。小生一角为俞振飞。俞本昆曲世家，兼擅皮黄,在上海走票多年,享有盛名,后去北京加入程剧团,成为正式演员,此次是他下海后第一次来沪演出。程、俞在上海旧识甚多,此次初度合作,友朋均极力捧场。亦有以文字揄扬者。登台之夕,舞台两侧悬一长联,字大逾尺,长达数丈。至今词句已不能尽记,惟忆上联末三字为"牡丹亭",下联末三字为"春闺梦"。此联乃程、俞之友所送,因切程、俞合作戏目,观者颇为欣赏。盖"牡丹亭"指十余年前俞票友时代与程第一次合演之《牡丹亭·惊梦》,而《春闺梦》则是两人当时精心排练之新戏。但于上联末用平声,下联末用仄声,则颇多议论。一日周梅泉来院观戏见此长联,认为意犹未尽,遂另撰一联。数日后即悬于长联之侧。词曰:

玉振珠圆,愿天下同命鸟、断肠花、絮果兰因,都成眷属。　霜飞月满,把人间爱别离、怨憎聚、罗愁绮恨,写入歌弦。

款为"振飞玉霜两词人雅正,今觉庵主撰赠"。此联一出,原挂长联即黯然失色。盖周联词既典雅,对仗尤工。联首嵌程俞二人之字,极为自然,毫无勉强穿凿。为当时观众传诵。

周君名达(字梅泉),别署今觉庵主,安徽秋浦人。工诗文,更喜集邮,有"邮票大王"之称。其收藏最名贵之一枚邮票,据说当时价值美金四万元。渠与程、俞为多年旧好。程原字玉霜、名艳秋,后改御霜、名砚秋。振飞乃俞之字,其名远威则鲜为人知。为长联上下联平仄问题曾多方探听其故,据知者云"牡丹亭"下原有"中客"二字,

“春闺梦”下则有“里人”二字,因联过长,末二字卷在里面未能放出,致使人误认为平仄失调云。

上海戏园的变迁

易海翁 遗作 祝文光 整理

19世纪末20世纪初时,上海戏园很多。其中最老的有,当时英租界满庭芳弄内的“九香园”,十六铺“新舞台”,后来九亩地的一家戏园,也叫“新舞台”。满庭芳街对面有“金桂轩”,旋又改名“和春”、“留春”、“天仪”、“大观”、“春仙”。当时初创的髦儿戏班即在“大观”演出。光绪二十五年(1899),圆明园路开设一家外国戏园“亚令匹克”。大新街有“云轩”,后改名为“玉成”、“春桂”。新惠中旅馆附近开设“新桂春”,后改名“亦舞台”。六马路大新街有“咏霓”,后改名为“天福”。该园附近有“老丹凤”,被焚后建造新式舞台。四马路有“天华”,后改为“群仙”、“贵仙”、“丹凤”。大新街口的“丹桂第一台”,有当时最新式的半圆形舞台。1913年初冬,梅兰芳第一次到上海,就在此演出。

以上各戏园中屡易其名者,乃系老板见生意不佳,立即倒出,另换主人。老板们勾心斗角,靠灯彩及机关布景的新戏号召,并以夸张的广告大加宣传吸引观众,兜揽生意。

后来这些戏园全都拆掉，或兴修马路，或翻盖商店，所有旧址，已一点痕迹都找不出来了。

旧时四马路的“天蟾”、二马路的“大舞台”(现为人民大舞台)、先施公司后面的“中国”、爱多亚路(今延安东路)的“共舞台”、八仙桥的“黄金大戏院”(现为大众剧场)，现都还在，并已经过多次改建和翻修。“大世界”内最初有一戏园叫“乾坤大剧场”，盖叫天曾在此演出过。

火烧“新舞台”

汤笔花

20年代初，上海南市十六铺有一家规模宏大的新式舞台名“新舞台”。该台首先使用大转舞台，并以汽车上台、满台真水为号召，曾演《新茶花》及《黑籍冤魂》两剧，饮誉歇浦。演员均系富有革命思想的进步演员如潘月樵(小连生)，夏月珊、夏月润兄弟，及邱治云、周凤文、汪优游等，济济一堂，阵容坚强。当时上海租界洋人见了眼红，坚要“新舞台”迁往租界，该台不允。其时该台适由夏月润主演《关公走麦城》，当时传说租界洋人特派人纵火，把整个“新舞台”化为灰烬，而推说是演《走麦城》关公显圣。火灾后，租界洋人又邀新舞台改建在租界，经潘月樵等洞悉其事，坚决拒绝，索性在南市九亩地重建舞台，业务较前兴盛，租界方面也无可奈何。这是上海梨园中的佳话，也是潘月樵及夏氏兄弟的爱国义举。

上海舞台布景起源

陈一芗

约在20年代初，上海戏台上就出现了拉洋片式的布景。最早出现舞台上有布景的戏馆是十六铺的新舞台，后迁入南市九亩地。画布景的艺人有张聿光先生，还有日本籍画师。布景多用油画。张聿光感到用油画成本高，景片笨重，才与同行改用粉画画法，形成民族风格。

30年代共舞台由张聿光与他的学生们一起设计了连台本戏《洪羊豪侠传》的布景，很受观众欢迎，一时盛况空前。这一时期只有张聿光、熊松泉、闵国良等人画布景，远远不够上海许多游乐场(如“大世界”、“小世界”、四大公司的游乐场)以及戏馆的需求。当时有杭嘉湖班陈月楼等开码头到福州、厦门一带演出，在福州看到闽剧用机关布景演出《陈靖姑》，布景光鲜夺目。这些布景是由“独臂”——俞鸿冠先生制作的。俞早年在锯木厂，因工伤锯断左手，后为木厂看门，空时给照相馆画照片背景，如小桥流水、秋水伊人之类，因画得生动、逼真，被“乐大观”戏班主

看到，请他画《济公传》布景。所以后来俞到上海头一炮也是给天蟾舞台画《济公传》，给老板赚了不少钱。资本家们对此眼红，就千方百计地到处搜觅人才。更新舞台聘请了温台帮的布景师陈学芳等来沪。陈是庙宇塑像师，对房屋建筑雕梁画栋非常拿手，他设计的第二出戏《狸猫换太子》包公开封府一幕，得到了满堂彩。从此，戏院老板互相竞争，每个戏院都用了二班布景师。天蟾舞台又请了福建连江帮贺福官(逸云)、品官弟兄俩，他俩以画神庙壁画见长，以四大金刚，哼哈二将、十八罗汉等来取胜观众。共舞台则聘用了李荆，与张聿光分庭抗礼。张是当时国画大师，一气之下就脱离了画布景这一行业。又如大舞台、更新舞台等都是采用二班布景师。这些画师艺人绞尽脑汁，千方百计地别出心裁来完成每出戏的任务。甚至讨教了民间杂技，渗用魔术师幻术，在舞台上出现与剧情毫无关系的骷髅变美女，美女变恶魔，人头升天……等场面。

40年代初上海成为孤岛，舞台上演的是《封神榜》、《火烧红莲寺》、《西游记》、《血滴子》、《牛郎织女》，连真牛真马、草裙舞、半裸体也都搬上了舞台来吸引、麻醉观众。有些画师如贺逸云夜以继日地工作，忙得精疲力尽。为振作精神，就染上了烟瘾，抽上鸦片还不算，又吸上了白粉，借高利贷吸毒，弄得衣不蔽体，逃离上海回福州。解放后，才又重振旗鼓，成为福建省最出色的布景大师。

因为画布景这一行业在解放前操纵在流氓戏霸手里，所以一些有志气、有才能的画师，像张聿光、熊松泉、蔡鹤汀、谢之光、胡亚光等都先后离开舞台布景。

舞台的延伸

张惠民

30年代，有一次我去辣斐德路（今复兴中路）的“辣斐剧场”看话剧，演出由巴金原著改编的《家》。正当观众陆续到齐，演出时间将到的时候，突然笙笛锣鼓乐声自剧场外面传入场内，由远渐近。瞬间，欢快的迎亲乐队、仪仗、花轿等从进场口穿过观众坐位居中的通道鱼贯而入，直上舞台。于是，话剧正式拉开幕布，开始了！此时台下观众情绪异于平常，台上台下融成一片，观众也被置身于舞台之中。导演的这一别出心裁的设计，使话剧刚开幕，即掀起一个高潮，收到演出效果。

这一舞台手法今天已可习见，但在当时却是很新奇的。

瞿秋白避难茅盾寓

沈　楚

瞿秋白与茅盾的第一次会晤是在1923年春的上海大学教务会议上。当时,瞿秋白任教务长兼社会科学系主任,茅盾在中国文学系开“小说研究”和“神话研究”课。1924年瞿秋白与杨之华结婚后搬到茅盾家隔壁、顺泰里十二号。两人来往更频繁了。1925年的五卅运动中,瞿是领导人之一，杨之华与茅盾夫妇都参加了游行、宣传。不久,“上大”被封闭,瞿等被通缉,他们就各奔东西。

1927年4月初,他们又在武汉相会。茅盾担任《汉口民国日报》总主笔，瞿兼管中央宣传部工作，茅盾常向他请示有关办报的方针，直到时局陡变才失去联系。

1931年，瞿秋白受王明的打击，被开除出中央政治局，又因肺病复发，到上海养病。4月下旬一天，茅盾夫妇来到瞿的新住所，正讨论《子夜》初稿，瞿忽然接到通知："娘家有事，速去。"瞿知道党的机关被破坏了，必须急速转移。但仓促间往哪里去呢？茅盾夫妇立即带他俩到愚园路树德里茅盾寓所避难，大约住了一两个星期。瞿每天读《子夜》原稿，并建议茅盾改变该书主人公吴荪甫与赵伯韬两大集团握手言和的结尾，还对其它章节提出了许多中肯意见，由茅盾作了修改。

1934年夏，瞿秋白又到茅盾家避难，他一改往日西装革履的装束，穿了一套中式白短衫裤。开始，他专心致志地写一本提倡汉字拉丁化的小册子(这本小册子后来在上海出版)。中国之有拉丁化运动，瞿是最早的倡导者。1934年前后瞿到处避难时，还写了不少杂文和文艺评论，都是用笔名发表的，其中有一个笔名叫"犬耕"。耕田是用牛耕的，狗耕田意思是说，他搞政治工作力量不够，如犬耕田一般。是他对往日经历的自嘲。

恽代英在武汉

熊连城 遗作　华道一 整理

恽代英，号子毅，原籍江苏武进，自幼生长在湖北，住武昌涵三宫街。讲话满口都是武昌话。1918 年他在“私立武昌中华大学”哲学系毕业，成绩特优，为该大学校长陈时所器重，聘为大学附属中学主任(当时附中称“主任”，实际是中学校长)。他与我原不相识，1919 年夏，他专程来我家看我，自我介绍后，说是在一次展览会上，看过我的图画作品，今附中需要图画教员，特来邀聘。因此，我们成为同事。1919 年“五四”运动中，他以附中校长身份，积极支持学生运动。一次与学生同演话剧，他担任导演，却又在剧中串演一个爱国学生，说白生动，慷慨激昂，开师生同台演剧风气之先。我当时曾帮他们搞舞台布景。

他在附中曾帮助学生组织“自学互助社”，参加该社的学生有林育南、李书渠、沈兴焕等。该社组织社员阅读进步书刊，集会讨论。并主张“经济互助”，为此招股开设“利群书店”，专销进步书刊。该店因陋就简，由学生李书渠任经理兼营业员，店址在武昌横街头。以在学学生自开书店，自任店员，这在当时也是难得的。恽代英在该校任职约二年，因坚持对教职员工必须按月发薪,反对欠薪而辞职。离职后即应《中国青年》杂志主编王光圻之约,去重庆讲学;不久又应安徽桐城师范学校校长章伯钧之聘，任该校教务主任。

宋庆龄拒住重庆黄山官邸

翁泽永

抗日战争时蒋介石绝大部分时间住重庆。夏天重庆炎热，蒋与宋美龄必住到南岸黄山官邸,因那儿气温较山城低五、六度。1941 年 12 月珍珠港事件爆发后，住在香港的宋庆龄也退到重庆。蒋介石对宋庆龄既恨又怕,想邀宋到黄山住,实则企图把她软禁起来。

那时我因患肺结核,由我父亲翁达(当时侍从室秘书)通过黄山官邸总副官袁广陛,把我安排到黄山官邸云峰楼休养。这里四周都是松林,是一处理想的养病处所。1942 年 5 月的一天午后袁副官气急败坏跑上来说:“先生(侍从室人员对蒋的称呼)和夫人陪了孙夫人来看房子,你回避已来不及了,就朝里装睡,由我来应付。”话音刚落,一群人就进了屋。宋美龄见有人睡着,就问:“这是谁?”袁答:“布雷先生的外甥,在此养病,很快就搬走的。”于是宋美龄说:“这幢楼共

有五个房间，您看，中间是会客室，已装电话；这右边两间您自己住，电话可再拉一只；后面一间我们马上动手，改装为卫生间。左边两间给您的秘书和女佣住。”接着宋美龄对蒋介石说：“Darling，你看好不好？”蒋和宋庆龄都没开腔，众人步到客厅续看，大致看了周围环境。只听到宋美龄说这说那，吩咐副官如何装修等等。蒋始终没有说话，可能只是微笑颔首；宋庆龄只说一句：“环境很好，不过太不方便。”待美龄说了“有专船、专车和电话供您使用，有什么不便？”宋庆龄才又加了一句：“朋友们来看我太不方便。”

次日，装修工程开始，我仍在那里住了好些天。但据我所知，宋庆龄根本没有到云峰楼来住过，她一直住在重庆两路口新村3号，那儿很快就成为民主斗争的中心。

王明爬绳梯

杜畏之

1927年春夏之交，陈绍禹(王明)随同米夫率领的联共代表团从莫斯科到中国武汉，参加中国共产党第五次代表大会。大会期间，陈绍禹替米夫搭桥，找中共中央某些领导人谈话，想在中共内部树立他的私人势力。当时中共中央领导层中的人都没有人上当。倒是这做法引起了陈独秀的反感。因此，当联共代表团回国而要求把陈绍禹带走时，遭到了陈独秀的拒绝。陈独秀说："陈绍禹是中国共产党的党员，我们把他留下了。"米夫等人无可奈何，只好自己走了。

这么一来，可把陈绍禹急坏了。他就不管什么党的纪律和组织原则，不告诉党，却私自买了船票，去上海追赶米夫。

到上海后，他知道米夫等人已经离沪。但所乘的客轮大概还停在吴淞口外。于是急忙雇了一条小火轮，到吴淞口外去追赶大船。算陈绍禹走运，居然被他赶上。当米夫等人望见陈绍禹时，就叫水手们从大船甲板上放下一个绳梯。陈绍禹就脚踏绳梯，爬上大船。

以上是 1927 年夏季陈绍禹回到莫斯科时亲口对我讲的，讲时还十分得意。当时，我带着讽刺的口吻对他说："绍禹，你这样会爬，将来一定能爬到很高的地位。"果然，后来我的话，真是不幸而言中。

张之洞手札谈章太炎事

薛明剑 遗作　华道一 整理

友人沈京似珍藏的张之洞致端方手札一通，解放后已捐献南京博物馆。该手札系张之洞亲笔，用大红笺书写，全信两页，共九十二字。原

文如下：

章炳麟事，前面托沈道到金陵，密告岘帅筹之。顷沈道归，言岘帅已密函致恩中丞，沈亦赴苏面陈。恩已与东吴大学堂两洋人商允：今年不请章入该堂矣。特奉闻。顷得外务电，俄约已作罢论，附呈一览。敬上陶斋仁兄大人阁下，弟洞顿首。

该信无年月日，今考证当为清光绪二十八年(1902)春间所写。张之洞时任湖广总督。章炳麟字太炎。“岘帅”即刘坤一，时任两江总督。“恩中丞”即恩铭，满州籍，时任江苏巡抚。端方字陶斋，亦满籍，时任直隶总督。信中所说“沈道”当系张之洞亲信幕僚，“候补道”衔，沈姓。东吴大学由美国教会于清光绪二十六年(1900)创办于苏州，“两洋人”系指该校校长 Anderson(华名孙乐文)及另一洋人 Vanclevbelt。

据《章太炎自订年谱》：光绪二十八年“正月朔旦，君遂(按即吴保初，庐江人)又遣力走赴余宅曰：‘闻君在东吴大学言论恣肆，江苏巡抚恩铭赴学堂寻问，教士辞已归。’惧有变，亟往日本避之”。可见章氏此处所记与张之洞手札所说事实基本相符。

章太炎巧遇蒋介石

张令澳

1929年前后，章太炎寓居上海鬻书为生，经济颇形拮据。这年春间应杭州昭庆寺方丈之邀，偕夫人汤国梨、门生陈保康(即后来成为海上名医的陈存仁)到昭庆寺小住；寺内供奉的素斋虽丰盛，但食久乏味。一日兴起，乃赴“楼外楼”小酌。“楼外楼”主人一见国学大师莅临，殷勤招待。章只点了三味菜：醋溜混鱼、东坡肉、蜜汁火腿。主人见了菜单说：“大师太节俭了，这些菜是不够吃的。”竟然在上菜的时候添了不少名肴。章太炎也不问究竟，饱餐之后，又看到邻桌已铺好纸墨笔砚，即离座而起，拿起笔问主人要写什么。店主回答说：“单求墨宝，听凭大师挥毫。”章太炎居然写了一首张苍水的绝命诗，洋洋长篇。

正在写字之际，蒋介石、宋美龄轻装简从，由杭州市长周象贤陪同，也登楼入座，似同常客。当时楼座别无他人，蒋氏一行安详地也点了三味菜，对着西湖纵览湖光山色，双方都不打招呼。蒋介石夫妇一向不喝酒，很快餐毕起立。临行时，周象贤轻声对蒋说，那面在写字的就是章太炎。蒋介石听后立刻过来招呼说：“太炎先生你好吗?” 章太炎也不停笔，回答说：“很好、很好。”蒋又问他近况如何，他笑笑说：“靠一支笔骗饭吃。”蒋说：“我等你一下，送你回府。你在杭州有什么事可以随时关照象贤，他会替你办的。”章连连说：“用不到、用不到”，并且坚持不肯坐车。蒋氏不便再请，就把自用的手杖送给了章太炎作为纪念。章对这根手杖倒很满意，接在手里和蒋氏伉俪一行频频握手点头，称谢而别。

传说：楼外楼主人得了章太炎所书墨宝，竟以二百银元出售于人，此后又几经易手，到汪伪时期这一手迹竟为汉奸陈群视为奇货，以两根大条购去。

章太炎为杜月笙撰《祠堂记》

张令澳

30年代，国学大师章太炎寓居沪上，因没有固定收入，有时也为友好写字，朋友请他写字，向不要钱。有些笺扇庄还为他鬻书收件。只因他卖字不刊广告，所以前来求字的人不多，每两三个月难得有几人来请他写寿序、墓志铭等，全由夫人汤国梨经纪。有时夫人收了笔润，遇到章太炎对求者不洽，坚持不肯写，常把事情弄得很僵。

1931年，海上“闻人”杜月笙浦东高桥家祠落成，遍求当代名人墨宝。“党国要人”和在野巨头莫不书写匾额志贺，如于右任亲题“源远流长”，吴佩孚书“武威世承”等，不胜枚举。时任杜氏顾问的章士钊，建议必得敦请章太炎亲撰一篇“高桥杜氏祠堂记”，方显永葆门楣、世代增辉。但章太炎乃开国名士，性情孤傲，一时恐不允挥毫。杜氏便想到徐福生，外号“大闹天宫”的游侠儿，在清末章太炎《苏报》案被捕入狱时，与章氏同狱甚久，患难相共，和章氏颇有交情，乃请其携带一千两银子的庄票前去恳求。章氏见了“闹天宫”福生，敬烟敬茶，十分客气，可是要他做一篇“祠堂记”，却断然拒绝，认为自己系士林宗师，岂能为“洋场大亨”撰文歌颂。徐福生失败而归，自谢不敏。

后杜月笙一计不售，又生一计，因悉门下士中有青年中医陈存仁，系章之得意弟子，博识多才、能言善辩，深得章氏夫妇欢心，遂拟托陈乘机进言，完成这一任务。

某次，陈存仁果对章老师说：太史公在《史记》上写过《游侠列传》，杜系当代游侠，急公仗义，老师应该不惜为杜月笙的祠堂落成做一篇文章。章就问杜氏平生情况。陈存仁为之列举杜氏的一些传奇式的善行：如何慷慨，如何重诺，把他的脸谱描绘得光彩夺目。

章太炎毕竟是一介书生，有浓重的名士习气，再经夫人汤国梨从旁怂恿，心为之动。陈存仁抓住这个机会，立刻在书案上铺开大幅宣纸，并说：“老师的不朽文字应该写成一幅横披，作为他们家祠的镇宅之宝。”章太炎默不出言，只是略加思索，也不起稿，一边抽烟，一边书写，一篇长文不出四十分钟已经写成。送到杜宅后，首先请章士钊过目。章氏边看边赞叹说：“不愧为传世之作。”杜月笙听了大为高兴。从此对陈存仁医师刮目相看；而致送章氏的笔润也格外丰厚。

吴佩孚抵死不肯当汉奸

孙仲威

北洋军阀吴佩孚，前清秀才出身，和先父孙丹林同乡同学，30 年代又同居北京，时相过从，故对吴佩孚自始至终知之甚详。

吴佩孚自幼即以关岳自许，当其叱咤风云，“八方风雨会中州”(康有为谀辞)时，固一世之雄也，由于刚愎自用，妄图武力统一中国，导致一败涂地，最后只好打着五色旗落荒而走，托庇四川军阀杨森。民国二十年(1931)“九·一八”事变，这时吴已进入川北理番，以“共赴国难”为名，和他的亲信由天水乘火车回到北平，首先以个人名义给国联调查团团长李顿写了一封公开信，根据国际公法和九国公约，力陈国联要主持公理，制裁日寇。这时有人送给吴一所在什锦花园的住宅，得到安居，结束了他六年多的流亡生活。自拟自书对联一副挂在书房里："得意时，清白乃身，不储妾，不爱金钱，饮酒赋诗，犹是书生本色；失败后，倔强到底，不出洋，不走租界，灌园抱瓮，真个解甲归田。"

这时北平正处于风雨飘摇之秋，华北"特殊化"日益明显。"冀察政务委员会"、"冀东自治政府"、何梅协定、塘沽协定等不祥之兆，相继而至。吴则吟诗作画，闭门不出。先父自 1932 年举家移居北平，每周都和吴见面一二次，保持友好关系直到吴逝世为止。风雨同舟，相互砥砺。他写给先父诗，有"诸侯不救平津地"的话，后来日寇喜多和土肥原加紧对吴威胁利诱，劝吴"出山"，担任"华北政务委员会"委员长。一次吴对来人拍案怒斥说："只要日军退出中国，自会有人出来收拾山河。这是中国人自己的事，何劳日本人越俎代庖！"

随着国内外形势对日不利，日军更加要在中国物色一个代表人物，替他们收拾残局，于是日本军部更加逼吴就范。吴虽失势，但一批军阀政客，仍把希望寄托在吴身上。平时吴家开饭，动不动就是好几桌，固定人员是"八大处"，即交际处、财务处、秘书处等，还有常客和流动客人。这些人眼看日寇要吴"出山"是千载难逢的大好良机，纷纷给日寇出谋献策，向日寇骗取金钱，美其名曰"活动经费"，以便相机行事，甚至向日寇许愿，谓"不出数月必见分晓"。一伙人包括吴的老婆张佩兰，儿子吴道时也都参与其事。由于吴抵死不当汉奸的立场坚定不移，他们也无缝插针。

正好吴被请到天津主持曹三爷(曹锟)遗产分家,吴当年受曹锟器重,1924年吴曾支持曹贿选总统,关系自非寻常。去津时吴本来就有点感冒,勉强前往。主要家产分完后,有一挂珊瑚朝珠被曹的女儿抢在手里不放，和曹的儿子相互厮打。吴为此大发雷霆,拍案顿足,肝火上冒。时值隆冬,回到家里又室冷如冰。吴问起何以不生火炉?张佩兰首先发难:“大帅不是清高嘛,不给日本人做事,那里来的钱买煤?”这句话气得吴半晌作声不得！好不容易弄了点带皮的生炭,没生旺就端进屋内,青烟直冒,呛得吴咳嗽流泪。晚饭吃饺子,因为发不出工资,厨师更没有好气!把些碎骨头也一并剁在肉馅内。俗话“饥不择食”,一个不小心,吴把碎骨头嵌进了零丁可怜的牙缝中,七手八脚,好不容易钳了出来,已是痛彻心髓、血流不止。有人说要请牙医生,张佩兰推说家中无钱，有心使吴在痛苦折磨中屈服当汉奸。一个叱咤风云的人物怎能受得了这样的窝囊气?

当夜吴牙疼发烧,随即化脓,病势甚猛。最后才把一个住在东城的著名日本牙科医生叫伊东的(此人曾给我治过牙)请来,据说是已拖延了治疗时间,束手无策了。

关于吴佩孚当不当汉奸和他的死与日寇的关系，至今还有争议。如日寇正想利用吴当汉奸,虽遭吴拒绝,但无害死他的必要。又如吴不当汉奸这是事实,吴的门客包括吴的老婆和儿子都想他当汉奸,这也是事实。但两者泾渭自分,不容混淆。等到先父去看吴的病时,已经是无救了。先父是支持吴的节操的。但吴的左右在关键时刻特意将吴的病情封锁起来,不让外人和吴接触,可见用心之毒。吴见我父面时,痛哭失声,趁屋中无人,从枕下抽出一封"劝进表",除张佩兰、吴道时家属领衔签名外,自然还有一批左右亲信、社会名流列名于后,甚至还有一名衡山大儒。吴断续无力地说:"汉臣(先父之号),你看看这不是要我的命吗?"不久便含恨而殁。

吴抵死不当汉奸,当时身在重庆的蒋介石也是知道的,所以千里迢迢送了八个大字的挽辞:"乾坤正气、宇宙完人。"也可算是"留取丹心照汗青"了。当时我的三弟在吴的治丧会中帮忙抄录各界赠送的挽联唁辞,所以看到各地名流和后方大员,几乎都有挽联送来,这一点连日寇也不敢有所限制,出殡时只得大开绿灯,沦陷区文化古城的老百姓,在此居然能看到当时中央大员们的唁辞,真有"大明天子重相见,且把壶儿搁半边"之感!

1945年抗战胜利,我从四川回来,国民党政府在北平为吴举行公葬,我曾亲去吊唁。陆放翁诗:"王师北定中原日,家祭毋忘告乃翁。"在这里正好用得上。

吕公望不准哈同造“罗苑”

吕子韬

1916年先父吕公望就任浙江督军兼省长后，哈同曾浼人(已忘其姓名)向先父央求，说：“如能允许哈同在杭州西湖边购地造屋，则哈同愿奉送在上海租界的一幢花园别墅来酬谢吕督军！”先父未为所动，正色对来客说：“回告哈同：杭州绝不容许外国人购地造屋，更何况西湖！”

后来先父说起此事时，深庆自己未入彀中并引为自豪。但也不胜感喟地说：“可是，后任的杨善德却让哈同造成了。”

杨善德接任之后，曾强迫市民卖地给哈同。哈同夫妇梦寐以求的目的终于达到了——他们在风景如画的西湖白堤边、在毗连“平湖秋月”迤西的狭长地带上筑起了一座杭人也称之为“哈同花园”的“罗苑”。

于髯老和“复盛居”

邓珂云

1945年抗日胜利后，去大后方的人陆续回沪；有人自沪再回到重庆去，于髯老(于右任)第一句话就问：“复盛居怎样了？”

复盛居是什么地方，值得于老那么思念？

它是一家小吃店，开设在上海石路(今福建路)的西边，位于九江路附近。其店甚小，名气却很大。老板天津人，抗战前就扎根在这里开店，一开就是数十年。店面只有一开间，分成前后两截。前截除了出入门口，左边卖蒸好的花卷、馒头，右边是卤肉橱子，连着切肉的长板台和碟子等。后半截又分两小间，一间有两张半板桌，一间有一张方桌、两张半桌。再后面则为厨房，只见一盆盆“火烧”，一碗碗面条，从那里端出来。数十年如一日，几乎没一丝一毫改样。这里以“火烧”为最出名。食者每曰：“到复盛居吃火烧去！”火烧是一种介于葱油饼和酥饼之间的面食(扬州火烧也著名)。现烤现吃，既香又脆。吃时将饼剖开，夹以肥瘦适中的卤肉，其味无穷。如要锅贴、蒸饺，亦可从命。其它酸辣汤、凉拌鸡丝、肉丸菜汤之外，就不多供应了。这是适合上海小市民生活享受的地方。有人曾说：假如它搬到国

际饭店的丰泽楼，照样会有挤不下的生意。

1956年曹聚仁从香港回来，组织上调了一辆车给他使用。他请司机开到石路上去找那家店；风貌依旧，只是那位胖胖的小伙计已长成中年人了。他迎着聚仁说："你老又来了！"聚仁如见亲人一般高兴，买了一大包火烧，一大包卤肉，回到家来，和家人孩子们大啖一餐。后来他回香港去，托朋友带口信到台湾，告诉于髯老："复盛居风光如旧，火烧卤肉还是使人动了食指。"可惜于老那次欲行又止，从此失去重回大陆和亲人团聚的机会，含恨终生——就在1956年那年，病逝台北。遗歌数阕，其中一首谓："葬我于高山之上兮，望我大陆。大陆不见兮，只有痛哭！葬我于高山之上兮，望我故乡。故乡不见兮，永不能忘！天苍苍，地茫茫，山之上，有国殇！"

不数年，复盛居也改主了，换了面貌。

胡朴安病废读《易》解《易》

胡道静

孔夫子晚年喜读《易》，韦编三绝。我伯父胡朴安先生，晚年中风，经抢救后左半身残废，自号"半臂翁"。闭户家居，潜心读《易》。伯父家富藏书，晚年居上海延平路"安居"寓所时，三楼厅室四间，约一百二十多平方米，积书盈架，有二十万卷之多。他中年时治古文字学，聚书以《说文解字》一类为最多，所藏刻本和抄校稿本，逾三百多种。当时丁福保先生编纂《说文解字诂林》，曾从我伯父借用孤本、稿本编录。同时我伯父对经典之首的《易经》，凡有注释、讨论之作，也无不搜购，故所聚解论、图说，谶纬群籍也有四百多种。其中有英文译本和用英文撰写的研究著作，还有日本学者远藤隆吉和高岛右卫门探治《易》学的论著。到我伯父病废闭门读《易》，就将这些注解、论议著作一一重复阅读，感慨到它们都不能得《周易》的真谛，有的把《周易》作为神秘的经典看待，就更为荒唐。他认为解《易》还是要从《易经》的本身寻求，而《序卦》传乃是解《易》的钥匙。于是放开大胆，掌握这串钥匙去开门，而从我国古代历史的立场去对六十四卦的每一个卦依次加以解答，最终得到的结论是：《周易》其实是从我国原始社会到周代初年文王、武王、成王三个时期的一部"通史"。凭这个观点，我伯父在闭门读《易》的岁月中，著成了一部《周易古史观》，开辟了解《易》的新途径。脱稿日，作古风一首："嗟我虽病废，著书亦已勤。羲经说古史，尝与古人亲。秉笔神独往，万载若比邻。终朝不自逸，兀兀忘昏晨。偶而兴所极，往往至夜分。古事时发见，如回万古春。汉、宋《易》家注，扫之若浮云。字解而句说，一一皆有因。解说过十万，多文不为贫。此书古未有，持以问世人。"可以见其抱负。

此书当时曾自费刊印，为数极少，流传不

广。近年国内、国外都掀起研究《易经》的热潮，我伯父的这部著作在北京和上海又都纷纷翻印了。

蒋竹庄修学西藏密教“开顶法”

沈北宗

蒋竹庄自号“因是子”，倡行“因是子静坐”。他起先一直修“止观法”，颇著功效，享名遐迩。五十四岁时，又从持松法师修“东密十八道”未果。直到1937年(六十五岁)才从西藏密教圣露上师修学“开顶法”。当年4月1日到南京毗卢寺受灌顶礼，开顶前必先持《亥母金刚咒》十万遍。从4月2日至9日上午，闭门诵咒，仅诵满六万二千遍；下午即移居毗卢寺，上师便剃去他头顶上的头发作小圆形，为日后便于察看顶门能开与否，预备插入“吉祥草”。

4月10日开始闭关，上师领坛修法。修这“往生净土法门”是想像头顶上有无量寿佛，垂足而坐，在身中自顶至会阴有一脉管，外蓝中红，丹田内有一明珠，移至于心，用力喊“黑”字，想像明珠随声直上，冲顶门而出，到无量寿佛心中，再轻呼“嘎”字一声，明珠即从佛心还入顶门，下至原处。

从11日至15日，每日有不同迹象。15日便觉顶门有孔。上师移坐窗外日光明亮处,唤去开顶,插“吉祥草”为记,草自然吸入而头皮不破。以后仍天天入静,于6月14日入静后,全身放光,上下通明。

这种修持功夫，说来神奇，听者恐似信非信,但此系竹庄先生亲历,当不虚妄。

黄炎培装病进南京

黄汉文

1927年蒋介石到上海,4月12日发动反革命政变。教育家黄炎培被国民党下令通缉。幸有蒋介石部下一位和黄不相识的青年，深夜到黄家通知,才得星夜离家,赴日本占领下的大连暂避。后来,蒋介石口头向人表示,黄可以回到上海住。黄才从大连回来,继续宣传、推广职业教育。1931年,蒋介石通过黄的同学邵力子,约他到南京晤谈。当时“通缉令”还没有撤销,又深感蒋为人不讲信义,就与挚友沈恩孚、江问渔、杨卫玉商量对策。黄去南京,最担心蒋派人在南京车站将黄扣押。沈恩孚表示自己愿意同往南京,随时照顾;再则自己与南京的前辈交情深,假如出事,也可从中斡旋。黄表示,“并非自己过分谨慎,实是对这位蒋先生不敢相信。”最后决定提前到南京,然后使较多的人知道是蒋约来的。杨

卫玉表示,“姑丈(沈是杨的姑丈)年老,行走又不便,我也愿陪黄先生同去。至于怎样出南京站,我会作妥当安排。”于是决定黄、沈、杨三人同行。

杨卫玉的侄儿绍曾,孔武有力,东亚体专毕业后赴广东参加国民革命,分配当军医,由此结识陈诚,当时陈还是个一般军官,彼此很熟。杨绍曾随军到南京后仍当军医,此时陈诚的官职已很高。因系旧交,陈诚部下对杨医官相当敬重。杨卫玉就写信嘱绍曾安排好住处和出站后的车辆,并嘱必须办妥,要严守秘密。

绍曾回信一切安排好,黄、沈、杨三位就由沪乘车赴南京。车到南京,绍曾就上车。先背沈恩孚出站,觉得很轻。再背装作病人的黄炎培,比沈重得多,心里又紧张,不觉汗流满面。幸好一路通行无阻,士兵有向杨医官敬礼的,有打招呼的,也有问要不要帮忙的。出站后,黄炎培刚在车上坐好,杨卫玉已踱着方步出站,他是在后面暗中照顾的。当晚,杨绍曾分别到邵力子、蔡元培等与黄炎培有深交的友人处,告知“黄先生已到南京”。沈恩孚对他的内侄孙说:“从前清朝的总督、巡抚有担任护卫的‘武巡捕’。绍曾,这一次你当了黄先生的‘武巡捕’,功劳不小。”黄炎培笑着说:“这一次绍曾兄辛苦了。但我不敢有僭,他是我们职教社的‘武巡捕’。”

抗战胜利后我与杨绍曾同事多年,他对“武巡捕”一说很觉得意。

马叙伦不当官门赘婿

黄汉文

马叙伦字夷初，杭州人。祖父马文华，咸丰九年(1859)进士，做了二十多年京官，身后并无积蓄。马叙伦于光绪十一年(1885)出生时，祖父已去世。父亲马琛书，县学秀才，擅书法，是杭州织造署的幕友，请他写字的人很多，润笔所得，可略补家用。

马叙伦不到四足岁就开始识字读书，先由父亲教读，后来就进入书塾从师。他读书聪颖，虽未解《四书》中的意义，却能很快背出。十岁那年，连续遭到祖母、父亲的丧事，千斤重担都压在他母亲身上。

他母亲姓邹，读书明大义。她生下了遗腹女，就终日操劳家务，靠自己的双手养活五个儿女。白天为人做鞋，做针线活，晚饭后就为人做纸钱，一家六口的生活，得以勉强维持。马叙伦白天和两个弟弟从师读书。作为长子，晚上替母亲分劳，跟着母亲做纸钱，学会了织带。每当操作得疲倦了，就大声读书，以驱睡意。一檠如豆，直到深夜。母子二人，每晚所做纸钱各以千计。他在童年时，写的字笔力雄劲，早就为大孩子们佩服。经过几年勤学，与年长的少年论学、谈诗、

作对联，别人不能难住他。

光绪二十四年戊戌(1898)，杭州开始有新式学堂“求是书院”(浙江大学前身)。翌年，十五岁的马叙伦考入了杭州府属的“养正书塾”(杭州府中学堂前身)。这些学堂虽然还是半新半旧的，马叙伦却开始接受了新事物，新思想。杭州府知府曾两次到养正督考，马都名列高等，受到嘉奖。学校酝酿保送毕业生出国留学的名单上，有他的名字 (后因参加反对管理人员压迫学生的活动，被开除，未果)。

有一位退任巡抚，赏识马叙伦的人品、才学，请人到马家，为马说亲。媒人告知，“巡抚公愿得贤郎入赘，家财数十万悉以付之”。马叙伦和母亲却都不愿因高攀宦门，得财而失本姓，由母亲出面谢绝这门亲事。

初见韬奋先生

周幼瑞

1935年10月中旬，我在报上看到生活书店招考练习生的广告，十分高兴。那时我正在一家食品公司当“跑街”，由于经常阅读韬奋先生主编的《生活周刊》，对他提出的抗日救国主张非常赞同，对他创办的生活书店亦早向往，很想参加这家书店工作，但是对照一下招考的条件，却又为难起来,因为年龄已经超过一岁,学历则连中学也未毕业。但我还是诚恳地讲清实际情况,写信请求给予考试机会。

过了几天,竟接到回信允许应试。地点在上海福州路384弄4号(今外文书店隔壁弄内),试题不算太难,先做一篇作文,再作时事常识答题,最后考试了一下珠算。

过了几天,又接到通知要我去口试。接待我的是一位戴着眼镜、穿着西装、面带笑容,态度庄严的长者,他亲切热情地问了我的姓名、年龄、籍贯、学历、经历以及家庭情况,又问了我对时局的看法和将来的志愿,还要我谈谈图书出版的重要性和怎样为读者热诚服务等等。最后,他又要我把自己最接近的亲友姓名地址,当场写出交给他。由于这位长者语气和蔼、平易近人,我的紧张情绪很快消失,走出试场,感到周身轻松愉快。

11月5日是我终生难忘的日子,我被通知正式录取进生活书店工作。经老同事介绍才知前些日子给我进行口试的就是我久已敬仰的韬奋先生。

这次考试使我有几点感想:一是生活书店招考人员完全从实际出发,并不只讲学历,专靠文凭;二是切实做到公开招考,择优录取,不讲情面,不受请托;三是韬奋先生作风深入,他身为总经理,公务繁忙,却不辞劳累,亲自参加练习生的招考工作。他曾把书店招用人员比作请"老板"进来当家作主,用意深远。

王造时书信沉浮

冯英子

王造时毕业于美国威斯康辛大学，得政治学博士学位。回国以后，执教于上海光华大学，并投身于政治活动。其早期作品《流氓与皇帝》，即针对蒋介石之独裁而言。并办有《主张与批评》杂志，提出民主之主张，批评独裁之错误。该刊被迫停刊后，又改出《自由言论》。不图“自由言论”所获之“自由”有限，不久又为国民党加以“言论荒谬”之罪，下令停刊。王氏乃集两刊所登重要文章，结集出版《荒谬集》，流传甚广。后投身救国会，终于成为名闻中外之七君子之一。

1939年后，王氏在故乡江西吉安创办《前方日报》，常在报上发表文章，论述中外形势与民主宪政之道。太平洋战争前夕，中国独力抵挡日本之侵略大军，名城迭失，形势危殆，王氏乃向美国总统罗斯福作一公开信，洋洋数千言，刊于《前方日报》，要求美国加紧对中国之援助，开辟第二战场，出动轰炸日本等等。罗斯福当时是否见到此信，虽不可知，但太平洋战争爆发后，美国之战略部署，一如王氏之要求。

《苏日条约》缔结之日，王氏正在重庆出席国民参政会。按“条约”规定，日方确认苏方对外蒙古之利益；苏方亦确认日方在“满洲国”之利益。王氏闻之，不胜愤慨，乃建议公开致函斯大林，表示遗憾。信由王氏起草，张申府审定，沙千里抄写，一式两份，一份由沙千里交与当时苏联驻中国大使潘友新；另一份由王造时交与当时国民党中宣部长王世杰。其后，国民党据此以为反共之资料，王大为悔恨，终于成为王盛名之累。

我听过一次陈寅恪讲课

涂中玉

大约 1942 年前后，我在广东坪石中山大学研究院的一间简易教室里听过文史大师陈寅恪一次讲课，他是应邀来短期讲学的，当时双目已近失明，据说只还能看到一点极近的东西。我已在研究院毕业，留在中文系教书，听说他来了，特地回去听讲。他当时在学术界的声望已极高，知道他情况的莫不异常敬佩，这次讲的是历史问题，我仍决定去聆教，也能一睹他的风采。

他静静地坐在一把藤椅里，桌上只准备着茶水，一本书也没有，不见粉笔黑板，因为他已不能写。讲唐史上的一个问题，我是完全的门外汉。他讲的声音很低，却极有条理。需要用原材料作证的，他就顺口背出来，往往还说这条材料

见某书某卷，新旧两唐书哪些卷或篇的记载可参看、比较。记忆力之强，知识之渊博，学问的实在，听课的无不惊叹。整整两个小时，课堂里肃静，只有他低低的讲课声和听众的笔记声。他在两小时中只稍为休息了几分钟，喝了几口茶水。最后征求提问，有问必答。我提不出什么问题，感到非常满足。

从此我再也没有看见过这位大师，只读了他有关文学如论及元稹、白居易等诗文的著作。他学贯中西，精通多种外文，听说包括梵文。当年他与王国维、梁启超同是清华研究院的教授，人们都佩服他人品高尚，治学精审。

70 年代末我和李泽厚同机去延安访问，到后又同寓一屋。闲聊中都觉得后来像王、梁、陈这样的学术大师继起的太少，简直数不大出来。为什么呢？现在下棋、相声、烹饪、演技等被称为“大师”的倒不少，可最重要的公认的文科学术大师却实在太少了，实在是一个值得深思的问题。

马思聪早晚练琴不辍

徐中玉

中山大学抗战初迁去云南澄江，1940 年仍迁回广东，八个学院分散在广东、湖南交界处乐昌、乳源、宜章两省三县。总部和研究院、文学院设在坪石，师范学院设在山村管埠，盖了些极简易的木板泥灰平房。已很著名的小提琴名家马思聪和他的夫人钢琴伴奏家王慕理不久即在师范学院任教。坪石、管埠相距二十多里，靠小船往来，我每周去师院国文系兼课，必须住一晚，因船行每次得三个多小时。马思聪夫妇住在一座小山坡下的宿舍里，并排两间屋子。每次去，早晚都听到他们夫妇在练琴的声音。他们很少公演，公演时人山人海，怕买不到票子，在这荒村野地，却天天听得到他们的琴声。物以稀为贵，开头邻居们视为享受，日久却成为负担了。因为宿舍很靠近，又毫不隔音，加上他们常是作基本锻练，不是演奏完整的乐曲，别人听来就很单调。早晚两次，虽有定时，他们一定也是考虑到了邻居的工作的，但邻居——特别最近的邻居就有要求搬走的了。可是当后来他们离去，似乎是去了重庆后，邻居们却又深深怀念他们了。

不仅怀念，更感到他们精益求精，常练不息的精神之可贵。“拳不离手，曲不离口”。唱戏的演员非天天吊嗓不可，吊嗓对别人确实并不好听，可他自己如果不这样坚持，就会倒退不进，甚至临场倒嗓、唱砸了。他们夫妇所以始终是名家，同他们这种坚持精进的精神分不开。作为一度的同事，我是亲自看到、听到的。

陈友仁女儿陈郁兰在苏联

孙　俊 遗作　张宗冠 整理

陈友仁在国民革命军北伐时期，任武汉国民政府外交部长，收回汉口九江英租界，以铁腕外交家著名于世。他对苏联很有好感。1930年，陈将其幼女陈郁兰送往苏联留学。郁兰在苏学电化系，留苏十五年，系苏联著名电影摄影师之一。技术很高，曾服务于苏联的电影制片厂。以中国女子摄影师在国际享盛名的，当以陈郁兰为第一人。将俄语经翻译后改为华语片，也是由陈郁兰在苏联亲身参加试验而获得成功。

吴稚晖抗战时期居重庆

吕学端

国民党元老吴稚晖，在抗日战争时寓居重庆上清寺。所居为简陋民房，他住二层楼朝南一间。一人独处，生活自理，既无家人，也无佣仆。无论烧煮洗涤和一些家庭杂务，都是他自己料理。他经常手提油瓶，到离家较远的一家油酱店买油。有时还在阳台上坐着缝补衣服。这在国民党中央高级官员中是绝无仅有的。有人敲门时，他自去开门，总是露一小门缝，用一只眼看望门外是什么人，如是不认识的，就回说"吴老先生不在家"，拒绝接纳；要是他的老友来访，则开门请进，高谈阔论，声闻户外。他出门大都安步当车，很少坐车。当年日本飞机不断轰炸重庆，吴氏亦很少进防空洞，经常都是陈布雷用汽车来邀他同去躲避。当汪精卫背叛祖国逃到河内发表臭名昭著的"艳电"，吴氏曾撰文申斥，文中有"立直身子打瞌睆，白天做梦"等常州、无锡一带的方言，极嬉笑怒骂之能事。

叶楚伧以酒代茶

冯英子

叶楚伧先生，国民党之元老也。少年时即参加孙中山先生领导之革命，以其如椽之笔，为革命作宣传，影响极大。顾其人嗜酒如命，日夕与酒为伴，非酒不欢，非酒不乐。

抗日战争后期，叶先生担任国民党中央宣传部长，时国民党中宣部在重庆上清寺。某日我因事赴该处访友，友人拟为我要一杯清水，遍找不获，忽见部长办公桌上有一竹壳热水瓶，乃以之倒一杯予我。不料上口一吸，有浓烈酒味，细

审之,乃上好白干也。于是始知叶先生虽办公时间,亦须臾不能离酒。

叶先生以酒当茶,名士风流,雅好如此!实亦一大佳话。

程沧波起草《七七文告》

吕学端

1937年,“七七事变”爆发之初,正值夏季,国民党上层领导人物大都在庐山避暑。程沧波(中行)当时是《中央日报》社长,因发行庐山版,也到庐山主持报务。这时的蒋介石由于受到各方面的压力,不得不发表文告,号召抗战。但专门为蒋介石撰写机要文稿的陈布雷却不在庐山,而时间又非常紧迫,不能等待,决定就近召程沧波主稿,在蒋介石庐山别墅动笔,立等写好后研究发表。宋美龄为程沧波铺纸磨墨。《七七文告》是抗战时期国民党政府的重要文稿,程氏临时受命,挥笔而就,足见才思敏捷。

蒋介石与《自反录》

翁泽永

蒋介石在旧中国统治22年，他在1931年前后曾嘱其属僚将他从民国初年到民国二十年(1931) 自己所作及幕僚秉承其意为其执笔的文电、函牍、讲词等汇集编纂成《自反录》两集共12册、第一集委其乡亲奉化毛思诚(字勉庐)选辑，印成6卷2册，时限为自民国初年至民国十五年(1926)。内容分建议类、战略类(卷一)、宣言类、报告类、命令类、文电类(卷二)、书函类(卷三卷四)、论说类、序跋类(卷五)、哀祭类(卷六)。第一册首页有蒋自己题写的短序(影印)：

自反而缩乎？自反而不缩乎？追溯往事，历历如昨，翻阅旧稿，益增愧皇。今兹所存，不逮什一，继是以往，事务愈繁，散佚更多。乃托勉庐毛先生为我编次付印，以为朝夕自反之资。迂陋短拙，悉存其真，冀于寡过进德，略有裨助云尔。中华民国二十年五月五日，蒋中正自序于首都中央军官学校东舍自反室。

第二集由慈溪陈屺怀(名训正，号天婴，陈布雷堂兄)编辑，编成十六卷十册。类目如次：建议类(卷一)、宣言类(卷二)、报告类(卷三)、命令类(卷四)、讲词类(卷五)、文电类(卷六至十三)、书函类(卷十四)、论说类(卷十五、十六)。首册扉页后面有“布雷题记”：

《自反录》第二集是汇集蒋公自民国十五年至二十年之文电、函札、讲演词等，择要编次而成。由陈屺怀先生编辑。其目录次序经蒋公阅定，然内容尚未遑亲为校核也。恐日久散佚，爰先印若干部，备存观览。至若搜罗补充，斟酌去取，则当俟之他日。陈布雷附识。

第一集编辑时的情况，我未亲见。第二集编辑在杭州龙翔桥六桂坊陈屺怀先生家。陈是我的堂房舅父，那时我常去他家，见工作人员朱登中(次黄)等数人在几只大藤箱中翻捡资料，整理纂辑；经陈屺怀校阅后陆续发排。当年六桂坊陈家有二幢两上两下楼房，除陈家属外，十来个工作人员多工作、住宿于此。这是一个不挂牌的机构，对外简称“贞社”，实际上是“国民革命军战史编纂委员会”，主任委员陈屺怀。机构属国民政府军事委员会编制，由军委会发给经费，除编纂“战史”(未见印成册)外，编印蒋介石的《自反录》也是这个机构的主要任务。这一、二两集共十二册的《自反录》均为大三十二开铅印本，印数极少。第一集 1931 年印成，第二集在 1933 年、1934 年全部印成。除档案馆外，国内外著名大图书馆恐也不见得均有收藏。留在大陆的历经多次政治运动，特别是“文化大革命”，多被销毁。家父翁达(祖望)因任陈布雷机要秘书多年，原先也有一部，也早已不在。《自反录》对研究蒋介石这一历史人物，应该说有相当大的价值；可惜辑录的时限太短。1931 年后蒋按照其“攘外必先安内”的错误方针，发动多年反共内战；1936 年西安事变促成国共两党第二次合作，共同抗御日寇八年；抗战胜利后蒋又发动全国性反共大内战，直到他战败撤出大陆，未见再有《自反录》续集的辑印。到了台湾之后，情况就更不了然了。

蒋介石与帮会关系又一说

黄永言 遗作 华道一 整理

蒋介石曾是青帮"大亨"黄金荣的门徒，此说今已广泛流传。但据在青帮中出了名的"大字辈"张仁奎的嫡系门徒韦作民说：蒋介石曾由张仁奎直接收为门徒。韦说：蒋在上海搞交易所投机时常去新惠中旅馆；在旅馆中结识了青帮"大字辈"汪禹丞，汪对蒋的"才干"很赏识，特意把蒋介绍给张仁奎收为门徒。后来蒋当了"北伐军总司令"到上海，张才把蒋的"门生帖子"退还给蒋。

按黄金荣在青帮中属"通字辈"，比张仁奎低一辈。如韦作民所说属实，则蒋介石也属"通字辈"，与黄金荣在帮会中为同一辈。

张仁奎 1945 年 2 月在上海去世，当年 5 月间在重庆的国民党政府竟以"国民政府"名义直接对当时只是一个平民身份的张仁奎 "明令褒扬"。这"褒扬令"文字写得骈四骊六，天花乱坠。足见蒋介石与张仁奎的关系非同寻常。

“侍从室”人员称蒋介石为“先生”

黄永言 遗作　华道一 整理

抗战期间,蒋王朝偏安重庆。当时重庆青红帮势力日益扩张,某些帮会“老头子”大收门徒。有一个“老头子”叫张树声的,竟收了蒋介石“侍从室”的某些人为门徒。蒋介石知道此事后大为恼火,训斥侍从人员说:“你们有我这个‘老头子’还不行吗?还要拜什么老头子!”蒋为此要捉拿张树声。后经戴笠、韦作民、毛庆祥等帮会人员再三保证:以后张树声决不敢再收“侍从室”人员为门徒。蒋才不再追究了。

对蒋介石,黄埔军校的学生即使在离校后也一律称他为“校长”,国民党政府一般官员则称他为“委座”;独有“侍从室”人员却一律称他为“先生”。按帮会规矩,帮会门徒也称“老头子”为“先生”,据说“侍从室”人员称蒋为“先生”,就是和上述事情有关。

蒋介石拒受九鼎

任溦音

抗日战争后期，国民党政府几个部和中央训练团的几个头头，为吹捧蒋介石领导抗战，要铸“九鼎”，以记其功。

“九鼎”由中央研究院冶金研究所用合金铸成，是一个高约1.5米的圆立柱体，分上下两部，下端是“鼐”，大香炉上有一个大圆盘；盘的上端承着九个“鼎”，布满一周。铸工精致美观。鼎上铸有铭文，是国民党元老吴敬恒书写的。

一天早晨，在重庆中央训练团大礼堂举行献鼎典礼。蒋介石乘车来到礼堂。顿时，各院部长随立，记者和摄影镜头齐集，观礼者屏气凝神，献鼎典礼就要开始了。出乎意料的是蒋介石走到主席台前，凝视片刻，却怒容满面，厉声发言：“九鼎这件事，原先送来给我批示，我以为是为纪念军民抗战之功，筹点纪念品，也无不可，不料却如此大做。今天看了九鼎，又办了这样一个历时一小时之久的献鼎大典，要加诸于我，我岂敢接受。诸君都受党国重托，皆负有重责，如今日寇仍盘踞我境，国土没有光复，铸献九鼎，岂非自嘲。唯望各尽职责，为党国争光，你们都要反省检查，不要再吹捧逾恒，陷我于不义……”

一场献鼎闹剧就这样收场了。蒋介石掉头步出礼堂,上车而去。

蒋介石讲礼乐

涂世勋

1942年3月12日，是孙中山先生逝世16周年纪念日。那天上午国民党中央在重庆国府路国民政府礼堂举行纪念会。

大会开始,行礼如仪,同时奏起哀乐,然后由邹鲁作报告。报告毕,依开会的程序就是散会了，可是蒋介石忽然走上主席台，对大家说：“《礼记》上的丧期是三年,现在总理逝世已十六年了,大会上奏的仍是哀乐,这是甚么礼乐?内政部……”说到此处,他突然停顿了一下,才继续说下去:“内政部礼乐司是干什么的？要回去好好地研究一下,应该奏什么乐才合理。”

蒋介石说到内政部三个字时，突然停顿一下,为的是哪般?按照他说话的语意和口气,接下去说的必定是:内政部部长如何如何,但他立刻想到内政部长是周锺岳，而周锺岳是云南省主席龙云的老师，而龙云又是地方势力举足重轻的人物,为了抗战大业,是谁也不敢去得罪他的,何况周锺岳先生,德高望重,八十来岁的老人了，怎么能使他老人家在大庭广众之间难堪

呢?于是蒋很快地改口为“内政部礼乐司”。

“蒋中正胡适”与“蒋中正居不正”

张寿龄

蒋介石为了当总统以维系他的独裁政权,于1948年初夏在南京召开国民代表大会。我以国大代表身份参加了会议。在选举总统提名中,原拟以胡适为他的陪选人。蒋认为选票上并列着他和胡适的名字“蒋中正胡适”,从字意上看则为“蒋中正何所适?”不吉利。最后看中了居正,合二人姓名则为“蒋中正居正”。胡适则以其名不祥而被摒弃。

于是正式选票上候选人“蒋中正”与“居正”二名并列。居正是单名,故在“居”与“正”中间有一格空白。不料后来正式开票时出现一张废票。此票并未圈选何人,却在“居”与“正”中间的空格内填了一个“不”字,成为“蒋中正居不正”,真是令人啼笑皆非!

蒋介石谈母教不谈父教

范锡品

我听过蒋介石多次讲话。蒋在讲话中"这个是"的句型特别多,讲不上几句就来一下,这是他用以思考下一句的慭词,所以听起来很不自然。但也有一二次例外,其中一次就是谈他的母教。

这是1936年的事。他从母亲言传身教的日常家务事,从母亲如何修身齐家的平凡生活中得到的教诲与启迪讲起,谈到作为军人立身立业之本的治国平天下的道理。通篇讲话有两个小时,"这个是"的"话搭头"却不多见,谈来娓娓动听,很形象很生动,给大家的印象较深,但讲话中对其父教如何,竟一字未提,又不禁使人茫然,感到不解。我迄今仍不解其故。

蒋介石枪毙杨全宇

胡次威　杜岷英 遗作　戴广德 整理

1940年夏,成都市长杨全宇与四川粮政局长嵇祖佑因调拨粮食发生冲突，辞职不久，即被成都行辕逮捕，关进重庆陆军监狱。被捕原因，据说是杨全宇在市长任内曾写信给欧书元，托其在自贡市代购小麦三百担(有人说是三十担)，此信被特务在邮局查获，呈报了蒋介石，以此被捕。有人托后任成都市长贺国光设法营救，贺认为杨全宇罪不致死，曾私下与军法总监何成濬商定，先将判决书拟好，俟事过境迁后再送给蒋介石。不料四川粮价一日数涨，人心惶惶，《大公报》发表一篇题为《借人头平粮价》的社论，使蒋介石突然想起杨全宇，立即催何成濬拟判送核。原判决为杨全宇囤积小麦未遂，处有期徒刑五年。蒋介石将判决主文用墨笔圈去，改为“立即枪毙可也。”当天下午将杨全宇执行枪决。

在贺国光叙述了蒋介石枪毙杨全宇经过后，有人问他：“杀了杨全宇，粮价怎样?”他漫不经心地回答：“你问的是粮价吗？粮价涨得更快。”

蒋介石曾任剧场会计

胡恨生 遗作　戴广德 整理

约20年代初期，国民党元老张静江出资在上海开设“春柳剧场”，派蒋介石充任前台会计。但蒋并不常驻场内，每日开幕前来场观望一番，了解营业概况，其助手何颂皋夹着一只公文包同来，结账收款，蒋则打个转便扬长而去。当时蒋在国民党中只是一个默默无闻的小角色。

蒋介石前妻毛福梅葬礼

王治平

蒋介石原配夫人毛福梅，夫是“总统”，儿是“总统”，贵不待言，实际上她是一个悲剧人物。其成婚苦，离婚也苦，活得孤独，死得凄惨；至今孤坟一座，清明、七月半(鬼节)香火寥寥。

1939年毛福梅在奉化溪口蒋家老宅被日机炸死，草草收殓，灵柩暂厝丰镐房摩诃殿。1946年才得入土安葬。葬礼用中国传统古制。上海、宁波、杭州报纸刊些消息、悼诗；南京的报纸似乎有所忌讳。蒋介石未驾临溪口。我自始至终参加葬礼，还代表“中央干部学校”宣读《祭毛福梅太夫人文》。溪口蒋介石老宅以丰镐房名义发出蓝色丧葬讣告。讣告出面人是孤哀子蒋经国、蒋纬国。我与三青团上海支团书记曹俊等人乘轮船到宁波，再乘毛懋卿(蒋经国之舅父)创办之宁奉线专车到达溪口，下榻武岭学校宿舍。祭堂设在丰镐房内，离住处仅一箭之遥。进入丰镐房黑漆大门时，铁铳(火药炮)、唢呐齐鸣；有接待员手持“客到”有柄木牌导入祭堂。祭堂内灯烛辉煌，

香烟缭绕，正中悬着毛福梅的放大遗像，供桌上摆满三牲、花果、糕点祭品，供桌前左右两边堆满花圈、花篮，四壁、廊柱挂满挽幛挽联。吊唁者有戴季陶、朱家骅、孙立夫、孙科、张群、何应钦、居正、吴稚晖、孔祥熙、张治中、顾祝同、陈诚、吴铁城、谷正纲、谷正伦、谷正鼎、陈布雷、钱大钧、宣铁吾、康泽、胡宗南、汤恩伯、吴绍澍、杜月笙、黄金荣、王晓籁等党政要人、社会名流。吊唁者入祭堂，由司仪“唱礼”(指挥行礼)，向遗像三鞠躬。经国、纬国夫妇及孝文、孝章等孩子们均披麻戴孝，俯首侍立在供桌两旁回礼。礼毕，进午膳。下午一时，出殡的长队已在溪口镇街上排列起来。两尊丈二高的“开路先锋”(木制偶像，下安滑轮)，由人推动前导。真是显赫威武；接着几组军乐队齐奏，声振山野，吸引成千上万远近乡民前来观礼。僧侣、道士一路上诵经作法。最引人难忘的情景，灵柩两边，孝子经国、纬国身穿白布长袍，头上身上披戴粗麻，一手携哭丧杖，一手扶棺俯首而行。以白布围成的方阵内，除经国、纬国夫妇外，还有蒋国柄(经国堂兄)夫妇等。沿途有路祭牌楼及祭台多个。等到出殡队伍临近，马上燃香点烛，鞭炮、高升齐响，表示接灵。灵柩暂停，路祭开始，行礼如仪，由主祭人宣读祭文，焚烧锡箔纸锭，军乐奏响，灵柩起步。如此百步一祭，花了近两小时。出殡队伍绕溪口镇一周，终点是摩诃殿附近溪口小学的操场。坟穴早已挖好。灵柩下葬坟穴是丧礼的高峰。在鞭炮、

高升、铁铳轰响，军乐队齐奏；和尚、道士朗诵经，加上孝子、宗亲一片恸哭哀悼声中，有风水先生指挥丧葬工人以跳板、麻绳牢栓将灵柩安放入坟穴。生离死别同断肠，亲人埋葬亦悲痛。当棺上盖土时，经国简直激动得难以自制，喉咙沙哑，泣不成声，经几人强拉搀扶才离开墓地。

哈同借红缨帽

周退密

哈同在上海发迹之后，竭力摹仿华人之风俗习惯，以跻身于华人之上流社会。每逢新年将届，必遣仆至先伯父周湘云家借用红缨帽。缘湘云公曾纳资捐过“上海即补道”，道台属三品官，例可戴用红珊瑚顶子，故哈同极艳羡之，翎顶辉煌，出以拜客，以夸耀于人。

孔祥熙“哈哈孔”的来历

陆　诒

1940年秋季，有一次，我和《大公报》女记者彭子冈到重庆嘉陵宾馆采访节约储金运动的会议消息。那次会议由国民党政府行政院副院长兼财政部长孔祥熙博士主持，到会的有党、政、军官员和工商界、文化界百余人。在富丽堂皇的大厅中，看起来，到会人数还是稀稀落落的，但孔博士对此毫不在乎。他起劲地大讲节约储金之道，讲到后来公然说：“平时，你们如果买点东西存放在家里，这也是一种储蓄。”大家觉得值此战时物价飞涨之日，此公竟然提倡囤积居奇，真是荒谬之至！

进茶点时，孔博士又起立致词：“今天讲节约储金，所以我们准备的茶点也很节约，只有一块维他饼和一杯红茶。但必须向诸位说明，这种维他饼是用最富于营养的大豆制成的，又是新生活运动总会总干事黄仁霖先生发明。当年我在美国遇见汽车大王福特先生，他告诉我，中国的大豆，含有维他命ABCDE多种成分。总之，诸位吃了维他饼，不但实行了节约，而且有益于养身之道。”

一席话刚说完，女记者彭子冈站起来向孔

博士当场提问："这几年，前方将士浴血奋战，后方老百姓节衣缩食，都是为了争取抗战胜利。孔院长，你可以看一看，在座的新闻界同业每个人都面有菜色，惟有你心宽体胖，脸色红润，深得养身之道。今天你讲到了养身之道，可否请你进一步谈谈自己的养身之道？"经她突然一问，孔瞠目不知所答，只得连声哼着："哈哈，哈哈！"宣布散会。从此，"哈哈孔"一词，就被众人传开了。

孔祥熙献金发脾气

涂世勋

1943年某天，全国慰劳总会在重庆银行公会礼堂举行献金大会。大会主席是社会部长兼慰劳总会会长谷正纲，到会的单位和各界人士都很多。行政院副院长兼财政部长孔祥熙也应邀出席，坐于主席台上。台下的人看见了都十分高兴，认为"孔财神"今天会大显身手，捐献出一大笔钱来。

大会开始，群众热烈鼓掌，欢呼请孔院长献金。孔祥熙笑眯眯地走到麦克风前，说："好，我捐献一个月的薪金。"话音刚落，台下鼓噪起来了，有的说孔院长是大财主，要多捐点，有的嚷着一个月薪金太少，要请加码。这下，激怒了孔祥熙，孔就放大了嗓门大声地说："你们说我是大财主，说得很对，世人谁不知道我孔祥熙有钱?我有钱，是我上辈在山西开设票号(旧时的一种金融组织，以汇兑、存款、放款为主要业务，由山西人最早创办的)赚来的。今天我捐了一个月的工资，全家一个月的开销都没有了，你们还嫌少吗?"他越说越来火，接着又说："辛亥革命前，孙总理(孙中山)没有经费，我捐助了很多的钱，今天我所得到的不过是当这个部长的一点工资钱……"言外之意，是捐出的多，收进的少。谷正纲一听，孔说的尽是气话，再说下去，事情要闹得不可收拾了，于是与副会长马超俊、黄少谷走到孔祥熙面前打躬作揖，请其息怒。谷十分机智，回过头来对着台下宣布，说："今天认捐数目最多的单位是四联总处(中中交农四行的决策机构)，四联总处是由财政部孔部长亲自领导的，所以今天献金最多的仍是孔部长。"说完就把孔祥熙搀扶回归原座。

孔祥熙认"亲"

戴广德

孔群英原籍安徽舒城，国立北平大学理学院毕业，任教北平市私立安徽中学。1933年，该校因闹风潮停办。他失业了，去南京寻找职业无着落，陷入"无米为炊"的困境，潦倒金陵。

一天，孔群英穷极无聊，想起“天下姓孔是一家”的传说，竟异想天开，改名“孔祥杰”，以“族弟”身份用英文给财政部长孔祥熙写了一封毛遂自荐的求职信。付邮不久，封建意识浓厚的孔祥熙竟然召见，询问了他的学历，又见他西装革履，身材魁梧，仪表不凡，夸奖是家族“人才”，便委以安徽省临淮关税务局长。孰料这位部长之“弟”到任仅三个月，大肆贪污舞弊，财政部收到的检举诉状如雪片飞来，孔祥熙迫于民愤，只好下令把他撤职，“孔祥杰”再度失业。

当年，孔祥熙同国民政府其他要人一样，每于周末之夜，总要乘专车去上海度假，周一早晨再乘专车回到南京。被革职的孔祥杰犹不死心，也去下关车站，夹在人群中迎接孔祥熙。孔祥熙下车，他乘机靠近，用英语要求“族长”帮助自己。孔祥熙厌烦了，也操英语回答：“我怎样帮助你呀？”孔祥杰讨个没趣，从此以后再没见到这位财神“族长”了。

邵力子面斥孔祥熙

涂世勋

抗战中期，邵力子奉命使苏。越年，回国述职，在国民党中委会发表演说，甚赞斯大林在卫国战争中领导有方，人民则团结一致抗击德寇。

邵话中有因，因当时国民党右派大肆反共，孔宋集团贪污腐化，民怨沸腾。孔祥熙一听，知道邵是在指桑骂槐，于是起立，指着邵问他："邵大使，你在使苏期间，见过斯大林几次面(笔者按：孔明知邵一次也未见过)？与苏联的关系有多大的改善？今天竟有脸在此大言不惭、说东道西！"邵力子是一位外柔内刚的党国元老，他态度从容地对孔祥熙说："我们党内如果像庸之（孔的字)先生这样的话少一些，像庸之先生这样的人少一些，那我们对苏联的关系就会得到改善。"几句话，说得孔祥熙面红耳赤。在休息期间，国民党若干中央委员对邵先生至大至刚的答话，大为赞许。

虞洽卿行"善"有道

高洪兴

"五卅"惨案后，有人在上海发起为"五卅"被害人的家属募捐抚恤，特请海上闻人虞洽卿赴宴应捐。虞欣然前往，在捐款册上写捐三万元，这样众人亦都量力捐助了。事后，发起人送收据来向虞洽卿收款。虞微笑说："我那天写三万元，无非是做个榜样，开个头，好让别人多写些。没有我写，别人岂肯爽快捐助？大家心里有数，收条拿回去吧。"来人碰了软钉子很不高兴，

竟在《江南晚报》上把此事宣扬出来，引起虞的徒众大为恼火，而虞洽卿则说："好人难做"，一笑置之。

另一次在"八·一三"淞沪抗战发生后，虞洽卿利用在沪闲置的三北轮船公司的轮船，打着救济遭难乡亲的旗号，分批运送宁波人回乡，博得社会人士的赞扬。但事后虞洽卿却从宁波同乡会索取了超过统舱价的运输费。

杜月笙选祖宗

鹿　鸣

上海闻人杜月笙出身微贱，发迹之后，欲与浦东同姓某联宗谱，不料竟遭拒绝。杜一气之下，即在浦东自建宗祠，不久祠堂告成而难题随之而来。盖既有祠堂，当然要有宗谱，更须供奉祖先神主。杜只是上海滩上一卖水果之人，连祖宗名字亦不能俱悉，何来宗谱，更何来历代神主？正苦无计可施，但毕竟杜月笙不愧为"海上闻人"，福至心灵，想此事非借重文人不可。此时洪宪六君子首席人物杨度正依附杜氏，躲避通缉，杨于是被召，出谋划策，同时参与密商者尚有刘志陆、周攀田等人。杜即言我杜某出身，人所共知，但以我今日之地位言，谁敢说个不字，此次选择祖宗并非图个空名，而是要在杜姓成名人物中找出一个人人皆知之人，才配当我祖宗，请列位费心查找。众人闻言，即从古今辞书中挑选合适的历史人物。经杜挑选最赏识的有晋朝大将杜预和唐朝宰相杜如晦，又经细细比较，以为杜预距离年限太远，往下叙到现在，从中须捏造不少人名，不如杜如晦比较近些。但杨度却起立说："不好不好，杜如晦的晦字是晦暗不明。如今杜氏宗祠刚落成，头代祖宗先来一个晦字是不吉利的，尚得考虑考虑。"杜月笙闻言拍掌："杨先生真是大才，晦字如不明讲，我却不知道；就是这个'毁'字，声音也不吉利，早晚会给人毁了。"杜月笙不识字，将晦字说成毁字，于是杜如晦又被否定。在重新考虑之下，结果选中唐代诗人杜甫，做了杜月笙的祖宗。

杜月笙名利双收

高洪兴

杜月笙在沪上纵横几十年，势力威赫，财源茂盛，尽人皆知。以私营烟赌两项的收入为其主要财源，其财产总数之大，可说无法统计，而他发财花样之多，也是无孔不入。

1947 年 8 月 30 日是杜月笙六十寿辰，原准备办堂会庆祝。有人建议将堂会改为赈济两广、四川、苏北等地的水旱灾荒义演。又将寿礼收入

作为办一个月笙图书馆和编印《上海市通志》之用。那场义演进行了十天,收入达法币二十多亿元,寿礼达三十多亿元。这些款项都是随收随存于中汇银行。名义上杜月笙一文不要,也捐了一些出去。但在祝寿时的米价是三十多万一担,捐出去时米价已涨到五十万元一担,他把捐出去的时间拖延下去,而法币不断贬值,他就获利越多,并且都在他的中汇银行内作资金周转,一百几十亿的巨款加上利钱,其数可观。

他一向办"赈济",名利双收。在"一·二八"上海抗战时,他办赈济就尝过甜头。"八·一三"淞沪抗战时期,杜月笙又发起组织抗敌后援会,向工商界摊派和征募了数达千万元的现金和巨额物资(这本来是救国壮举),后来这些款项虽也分送了一些出去,但中国军队不久西撤,在当时的混战局面中,谁也不去过问募款的事,这笔巨款就成为一笔糊涂账了。

杜月笙不住凶宅

姜　豪

在东湖路新乐路口,有所英国别墅式五层楼建筑,大门设在东湖路(旧杜美路70号)坐北朝南。这所建筑,最初原为上海闻人杜月笙的新宅,解放前称为杜美路70号杜公馆,可是实际上，杜月笙并没有迁入住过。

大楼建筑于30年代，1937年“八·一三”抗战前不久完工，建筑期间有个工人因故悬梁自尽，所以杜月笙把它看作凶宅，没有迁入。这所房子原为金廷荪所造。原来抗战前国民党政府以筹款建设空军为名，金廷荪得杜月笙推荐承包在上海发行航空奖券，获得大利，就建此屋赠杜为酬。

“八·一三”抗战发生，国民党政府发行救国公债，曾借此宅作为发行公债的办事处。上海沦陷后，此楼被占作汪伪财政部上海办事处。抗战胜利后又由戴笠为杜从日伪手中收回。解放前办事处结束，军统把此屋归还给杜月笙，杜离沪赴港前出售给美国人，售价说法不一，据杜好友范绍增讲是四十五万美金，杜的总账房黄国栋讲是六十万美金，而军统的郭旭讲是八十万美金。

黄楚九待人有妙论

孙　俊 遗作　彭古丁 整理

黄楚九想制造“小囡牌”香烟来抵制英美烟草公司的“婴孩牌”，必须到北京农商部进行注册手续，苦无适当人选去北京活动。正巧有个同乡王升如向他谋生求职，他知道王有位胞兄在农商部当科员，就给王以高薪任为秘书，并给以巨额费用派王去北京活动，终于取得了商标专利权。但这个王升如却很不安分，竟写了一封恐吓信向他索款十万元，否则将炸毁大世界。在限期之日，果有人以香烟罐头内装炸药带进大世界，被事先埋伏好的巡捕捉住，经侦审供认主使人就是王升如。黄楚九初闻为之一惊，但又随即打电话通知王升如逃走。有人问他："你待王升如有恩，而他恩将仇报，你何以还要通知他逃走?"他说："我对一个人已有百分之九十九的好处，何必因一件不好而抹却过去对他九十九的好处呢?我对一个人好是有始有终好到底的。"如此妙论，在当时确也迷惑过不少人。

黄楚九靠广告起家

孙　俊 遗作　彭古丁 整理

黄楚九创办中法大药房，他在广告宣传上曾花了大量金钱。他制造"百龄机"补药，几乎把全部资金都花在广告宣传上，费用要占全部资金 90%，而花在制药上的则不到 10%。实际这不是一种可治百病的药，人们在广告的渲染下买一次上一回当，下次也就不再买了。他却说："中国有四亿人口，只要一万个人中有一个人买我的药，买一次，下次不买，我也有四万元的进账……”“百龄机”当时售价每瓶一元，所以他说的倒是本心话。

黄楚九专买假古董

孙　俊　遗作　彭古丁　整理

黄楚九专门收藏假古董。古董商向他兜售古董，他问：“有没有假的？假的要，真的不要。”人家问他“为什么专要假的，不要真的？”他说：“我们外行人玩古董，真假不辨，真古董花大价钱买来，实际是假古董也未可知，何必上这个当！像我买来假古董装饰在玻璃橱里，以我这样的身份，人家看了还以为是真古董呢！虽假何妨。”

“多子大王”证婚忙

姜　豪

旧上海名流中，王晓籁老婆多、子女也多，因之得了个“多子大王”的美称。

旧时婚礼中要请人证婚，聘请对象为多子多孙多福多寿的社会名流。王晓籁既是“多子大王”，又是市商会理事长、全国商联会理事长和国民党政府参政会参政员，所以是最理想的证婚人，因之识与不识，竞相邀请。他本来是交际场中的忙人，加上每天有人请他证婚，忙得不亦乐乎。

王晓籁胖乎乎的中等身材，为人随和，老少咸相交游，所以在交际场中，颇受欢迎。

当证婚人，事后婚事人家要向他送礼致谢。又因喜事人家对证婚人的司机和随从要发红包厚赏，故他家里人收入最丰厚的，倒要算他的汽车司机和随从。抗战前“喜封”每人约发二元，饭钿每人也约二元。其时一桌酒席约二十元，每人车饭钿约等于一桌酒席的十分之一，即等于一个人的宴饮费用。发放“喜封”和车饭费，对证婚人的司机和随从又要从丰。这些人有时又兼代主人送礼品，又可拿一笔赏力，所以主人作一次证婚人，可以得到几笔赏钱，一天有几次证婚，他们的收入很可观。王虽商界首脑，但却不善理财，加之家室人众，开支浩大，所以家庭经济并不宽裕。每当他的家庭主妇手头不便时，还要向司机随从调调“头寸”哩。

清末民初三大金融风潮

朱龙湛

光绪初年，有招商局总办某亏欠钱庄款百余万两。当时钱庄资金短少，不堪支持，被累倒闭者十余家。以后金融界波澜迭起，著名的有三大风潮：

一、贴票风潮：光绪十五年(1889)上海有协和钱庄，专营贴票业务，以高利吸收存款。例如存入九十余元，一月期满，可得百元。实则彼即可将所收存款，转贷于人，博取更高利息，略沾余润。因是小有积蓄者，群向钱庄贴票，于是贴票庄愈开愈多。在相互竞争下，贴息亦愈来愈高。有些不法之徒，于吸收存款后，不事营运，竟花天酒地，专供挥霍，卒因存户到期兑款无着，捉襟见肘，破绽毕露，信用尽失，纷纷倒闭。

二、橡皮风潮：宣统初年，一外侨在沪拟创设橡胶树种植公司，广事宣传，夸口橡胶事业，前途如何美好，获利如何之厚。商人不察，群入彀中，纷纷投资。旋该外侨托词返国，一去不回，发电询问，杳如黄鹤。于是群知受绐，股票价值，一落千丈。而钱庄之受质橡皮股票，及自行大量购买者，亦被牵累。所有资金，悉付流水，因此宣告清理的钱庄达数十家，是为清末最大之金融风潮。

三、信交风潮：1921 年上海盛行交易所及信托公司，其股票可上市买卖，价格辄高于票面数倍。一般市民炫其获利之丰，组织之易，相率集资设立，一时多至百余家。不久倒闭者众，金融受到重大打击。

第一任汇丰银行买办

陈诒先 遗作　戴广德 整理

清同治元年(1862)，上海英领事馆向英国政府为汇丰银行申请开办香港与上海间的汇兑业务，派一英人回国集股。因川资不足，找钱庄跑街黄槐庭筹措二千元，约定一年内回沪，归还本息。不料此英人一去三年，渺无音讯，债权人啧有烦言，黄无法卸责，四处挪借，归还本息，因受此亏累，失业回绍兴，生活窘困。

一日，忽有人从上海送去一封英文信和若干现金。黄槐庭看不懂英文信，就和来人同到上海。因祸得福，写信人即为三年前向他借钱的英国人，这时已任汇丰银行上海分行大班。为了报恩，遂派黄槐庭为该行第一任买办，不数年黄亦成为大富翁。

英美烟草公司

陈子谦　平襟亚 遗作　戴广德 整理

“英美烟草公司”于光绪年间在上海博物院路(今虎丘路)购地造房作为办公处，在浦东陆家嘴兴建厂房，从外国搬来机器，利用中国工人的廉价劳动力，日夜制造香烟，向各地倾销。最著名的有如下几种牌子：

“老刀牌”。因为烟盒上印着一个露着狰狞面目的持刀海盗，故社会上通称“强盗牌”。又由于“强盗牌”名称不好听，广告称为“老刀牌”，在中国民间销路最大。

“红锡包”，亦叫“大英牌”。“红”——包装是粉红色，“锡包”——包装内层衬有锡纸。这种牌子晚期销路超过“老刀牌”。

“绿锡包”,又称“三炮台”。

“白锡包”,又称“绞盘牌”。

以上两种香烟在“茄力克”和“三五牌”未到中国之前,盛行于都市。

“前门牌”,是中级香烟。

“哈德门”,是中下级香烟。

上述六种香烟,尤以“红锡包”销路首屈一指。后来,又出了罐装“茄力克”,在市场上仍占优势。

该公司为了推销香烟,不惜人力财力,大做广告宣传。除大招贴、传单、报纸广告、杂志广告、油漆牌子、马路广告、墙壁广告、火车站广告、月份牌日历广告外,又赠送香烟缸、皮夹子、饭碗、筷子等等。这些“赠品”上都有烟厂、烟名。最使人注目的是霓红灯广告,彻夜通明,大放异彩。有一天,黄包车工友都穿着印有“烤”字的马甲,原来是该公司新产品“翠鸟牌”又一广告新招。

为了挽回利益,曾有国人殷某苦心孤诣地创办一家小型香烟厂,生产“小乔牌”香烟,但被英美烟草公司压倒了。黄楚九创办的福昌烟公司生产“小囡牌”,也仅在捞到一票钱后,被英美烟草公司收买了。

“五卅”惨案发生,全国人民抵制英国货。“英美烟草公司”招牌改为“颐中烟草公司”。1952 年后,颐中烟草公司才成历史陈迹。

外商轮船公司在中国

余芷江 遗作　梁立言 整理

鸦片战争后，随着五口通商，帝国主义的轮船得自由侵入我国港口。清道光二十二年(1842)英国“美达萨”号轮(Medasa)最先驶入上海。清道光三十年(1850)英国“大英轮船公司”(Penisular &Oriental Steam Navigation Co.)开始行驶上海香港线。清咸丰三年 (1853) 美国 “罗塞尔公司”(Russell &Co.)调“孔子号”(The Confucius)来沪营业。清咸丰六年(1856)比赖斯(Captain Baylice)以中国木材雇工制成十二匹马力的四十吨小轮名“开路先锋号”(The Pioneer)，是为外商在上海造船之始。

咸丰八年(1858)，中国和英、俄、美、法订立“天津条约”，丧失许多主权。如准许外国在各地设领事馆，自由传教，自由经商旅行，外轮自由进入中国内河各口岸等。从此，各国外轮行驶长江内河无阻。美国“罗塞尔公司”设立“旗昌洋行”(Shanghai Union Steam Navigation) 航行长江及北洋航线。同治六年(1867)增设“中国航业公司”(China Navigation Co.)，光绪三年(1877)中英航业公司(Indo—China Navigation Co.)成立，均侵占中国航政。

日本于中日战后，纷起设立轮船公司达五十多处。此时，英国的太古、怡和，日本的日清、大阪、日邮等，操纵远洋航运。中美线则掌握在美国的大来、福来等公司手中。中欧线则有大英邮公司，蓝烟囱公司、仁记洋行。怡泰洋行、法兰西大轮公司等，均有专行航线。中日线为日本邮船会社、大阪商船会社独占。各国在中国肆意航行，无限掠夺我国资财，在一个世纪的长久岁月中，中国已无国门可言。

直到1943年订立中英、中美废除在华特权的协定，才收回航业主权。1945年日本投降后，过去的不平等条约全部废除。但由于国民党政府媚外求存，仍允许帝国主义船舰可在我国领海和内河横行。直到中华人民共和国成立，我国的主权(包括航运)才彻底收回。

华孚金笔厂创办人周井亭

袁康年 遗作　杨展成 整理

上海华孚金笔厂是国内著名制造自来水笔的工厂，创办人周井亭，原名荆庭，学名宏郊，浙江奉化人。

吾国书法向用毛笔，西学东渐，写旁行斜上之书日众，则易毛笔为钢笔，而用自来水笔尤为便利学生。井亭感到国内没有制造自来水笔工厂,利权外溢,实一漏洞,故有创设华孚金笔厂之举。

为掌握制笔技术与购置器材设备,井亭乃赴日本考察,学得要领而归。自此设厂,饬材备物,讲习制造,旋与外国竞优胜,从而使“华孚”、“新民”二笔通行全国,人人乐用。但当时制笔材料硬橡皮胶木,多取自国外。为全部自制起见,井亭再赴日本后赴美国两处考察,留美半年后采购机器设备而归。回国后,刻苦钻研,即设立科学橡胶厂,并与职工合力研究,精益求精,达到金笔全部自制,且质量高超而名扬国内外。后组织成立“中国合群自来水笔公司”,并经理科学仪器馆,组建建华银行等。对开发新文化,调剂金融,挽回利权,为国争光均有功焉。

井亭为人俭己而利人,其厂中工人薪资较他厂为高,职工均安心作业。又乐赈施,为慈善事业、教育事业屡捐巨款。晚年放弃股息每月数万金,以月薪之半,资助贫寒子弟学费。解放后又首先申请公私合营,皆其远大之识力所致。

无敌牌牙粉力挫中外同业

张惠民

天虚我生陈蝶仙,以一介文人,扬名工商界。所办家庭工业社,逐渐扩大,产品无敌牌牙粉，卒能打退日货金刚石牙粉和狮子牌牙粉，历尽艰苦，占领市场。一般市民只知其劲敌为日货，然在20年代，当时市上的牙粉真如雨后春笋。如中国化学工业社的二妙牙粉、消毒药水牙粉；大生制药公司的大生牙粉；三和工艺社的仙女牌擦面牙粉；永和实业公司的月里嫦娥牙粉；兜安氏西药公司的兜安氏固牙香膏；严大生制药公司的中国金精石牙粉；中国制药社的宝塔牌牙散；五洲大药房的百花牙粉；中英大药房的仙鹤牌牙粉；保华国货工艺社的警钟牌牙粉；爱国日用工业社的象头牌牙粉；新艺国货公司的保国牌牙粉……等十数种，竞争激烈。除无敌牌能立定市场外，余均昙花一现。陈氏孜孜不倦的创业精神，同业既畏惧又钦佩。

第一次国货展览会及“国货路”命名由来

李修章

1927年北伐军击败北洋军阀而攻克上海之后，全市人民出于爱国热忱，掀起了提倡国货、国货救国的高潮。由总商会和各大厂商倡议，报请国民政府工商部批准，在上海举办第一次国货展览会。展览会地址，就在南市普育堂路新普育会会堂内。展览会开幕时，当时的工商部部长孔祥熙亲自来沪主持仪式，党政军工商学各界亦均有代表参加，盛极一时。展览期中，会场内除展出本市各大厂商的产品外，也有许多在全国各地素负盛名的产品。对各种国产商品的生产厂名、地区，以及产品的性能、规格都有详细说明和介绍。会场内附设饮食部、卖品部，方便参观者选购。每天还有游艺表演，免费供参观者欣赏。游艺会每日轮换，请文艺界著名演员到会表演。节目有京剧、话剧、滑稽、武术、歌舞等等，由此增加了不少参观的人数。这次展览会，对提倡国货和激发人民的爱国主义思想，起了很大作用。

新普育堂，原是天主教会所办的一个较有声誉的慈善机构。因此，该堂所在地前面一条由东向西的马路，也用“普育堂路”命名。自从国货展览会后，该路就正式被改名为国货路，一直沿用至今。由于市区的发展，该路今已成为南市区由东向西的交通干道。

电影明星群穿土布旗袍

汤笔花

20年代末，上海“蓬莱市场”落成。场主匡仲谋委托我邀请电影界人士在开幕时剪彩，藉造声势，以资号召。我与电影界朋友韩兰根谈起，他建议我到时不妨邀请女明星穿土布旗袍以示提倡爱用国货，抵制洋货。这一建议得到很多人赞同。蓬莱市场内一布店经理还表示愿免费赠送布匹，给到场的电影女明星每人一件旗袍布料，一裁缝店老板免费缝制旗袍。于是改剪彩为发起劝用国货的土布运动。蓬莱市场落成典礼也被改为劝用国货典礼。我在中华电影学校与胡蝶为同学，便邀了胡蝶、夏佩珍、陈玉梅等都穿土布旗袍，在博览书局门口站立着摄影留念。这一举动，引人注目。后来江浙二省，群起效尤，掀起一场穿土布服的热潮。

上海广告用语杂忆

华道一

20 世纪 30 年代，上海出租汽车行业中，有一家由资本家周祥生经营的“祥生汽车公司”。周神通广大，从电话局搞到一个“40000”的电话号码，作为该公司的叫车号码。这个号码一想就着，十分好记，使该公司的租车业务大为兴隆。

同时另有一家外商经营的“云飞汽车公司”，他们的电话叫车号码是“30189”，“疙瘩”难记。“云飞”为了和“祥生”竞争，悬赏为“30189”征求顺口易记的电话谐音，结果中选的谐音是“三拳一杯酒”。经该公司广告大肆宣传，一时“三拳一杯酒”的口头禅风行上海滩，“云飞”的租车业务迅速上升。

上海滩上最早注意商业广告用语的，大概是20年代的“百龄机”药片。该药片是由当时开“日夜银行”的资本家黄楚九开设的药厂所制造。它实际只是一种帮助消化的普通药物,他们在广告中却夸张说常服此药能延年益寿，长命百岁,故定名为“百龄机”。他们集中宣传的一句广告用语是“百龄机有意想不到之效力”。以致当时民间有人就称意想不到的事为“百龄机”药片。

30年代“三友实业社”生产“方便丸”,实际也只是帮助消化的常药。但广告用语也颇能打动人心,叫做:“大便不通,心事重重;大便一通,万事轻松。”“韦廉士药厂”生产“红色补丸”,据说有补血强身的作用，他们为广告悬赏征求到的一句话是:“红色补丸颗颗鲜血,粒粒强身。”

40年代时的“鹤鸣鞋帽商店”,也十分注重广告。他们的皮鞋广告有一句流传人口的“名言”,叫做:“皮张之厚,无以复加;利润之薄,无以复减。”

老正兴的酒壶

钱剑夫

初到上海,总要去几次老正兴,领略地方风

味。觉其海瓜子、黄鱼羹之类的菜肴,确具特色;然最有特色者,却是酒壶。酒壶都是锡制的,每壶可容二斤,喝完了就向壁角一掼。喝得多了,掼的酒壶堆积如山,直到终席也没有人收拾。因而老正兴的酒壶总是瘪瘪歪歪的。为什么要这样?据说,这是吃老正兴的一种派头。外加酒壶瘪了,可以挤掉一点容量,积少成多,也是一项赚头。锡酒壶既容易瘪,却又不会破损,吃客们又乐于讲派头、凑趣,亦不在乎此区区吃亏。锡酒壶本是为了易于温酒,却有这种妙用,其他酒店则未见也。

据说老正兴原来只叫"正兴馆",因为生意好了,取这个名称的也就渐多,便在"正兴"之上加个"老"字,以示区别,亦含"老牌正宗"之意。后来别家亦如法炮制,于是乎有称"老老正兴"者,有称"真老正兴"者,更有大书"真真老老正兴"者。听说只有二马路(九江路)的那家才是"货真价实"。但要考证虚实,实在也不容易。

人力车史话

孙金镇 遗作　祝文光 整理

清同治十三年(1874),法国商人米拉从日本购来三百辆人力车, 经当时上海法租界公董局发给营业执照,取得专利权,备车出租,打算发一笔财。可是营业不理想，不到两年，竟然亏本欠债，逃之夭夭。后来开设人力车行的逐渐增多，人力车成为上海人必不可少的交通工具。

早期的人力车，两个大轮是用木头做的，外面围上铁圈，又大又硬，在石头路上行驶，轧轧有声。1914 年后，改用钢丝橡皮轮，就小巧轻便了。因为车子是从日本来的，故称“东洋车”。又车身本漆黑色，因要和私人自备包车有区别，改漆黄色，故又称之为“黄包车”。

1920 年上海有人力车八千余辆，1930 年增至二万余辆。到 1944 年三轮车出现，人力车大受影响，趋向淘汰。可是在日伪和国民党政府统治下，失业者过多，拉黄包车虽难以糊口，却仍不失为谋生之道。解放初还留下五千余辆。经政府大力安排，以三轮车代替人力车，1956 年，终于将最后两辆人力车送入博物馆。

人力车工人生活艰苦，车资既少，又常被“撬照会”罚钱，受到车行主人的残酷剥削。为了生存，罢工多次。早在第一次世界大战时，因当局打算减发照会，发生过一次罢工。1918 年，当局规定人力车要在指定车场停车，不许在马路上兜生意，因听说这是外国人所办电车公司的主意，人力车工人们用石块铁棒打毁一辆电车；巡捕来镇压时，群起反击，牺牲了一个车工，但群众声势大，工部局不得不让步。

1919 年“五四”运动时，6 月 10 日，全市人力车工响应爱国运动，也举行罢工。以后为反对

无理压迫、剥削，罢工次数增多。1946年9月，美国水兵打死人力车工人臧大咬子的惨案，更激起全市和全国人民的公愤。

后　记

上海，从一个濒海的滩涂，发展成为解放前市廛栉比的十里洋场。旧上海一方面作为“租界”，是冒险家的乐园，另外，也在文化、经济、科学设施诸方面居全国之先，藏龙卧虎，人文荟萃，蔚为全国之最。而近代的每一重大历史变革，它的策源、起伏，也几乎都和上海息息相关。

《新编文史笔记·海上春秋》的内容是以上海为主，反映从清末以迄1949年全国解放为止这段时期的上海面貌。除动员我馆三百多位馆员努力为《笔记》撰稿外，还约请部分馆外人士撰述佳篇。再有，就是建馆三十多年来积累的二千多篇文史稿件——这类作品的写作时间大都在1966年前，好些馆员今已物故，凭其当年亲见、亲闻、亲历，由编委爬梳整理。本册集稿一百四十七篇，即是从以上三个方面七百多篇中遴选出来的。佳作如《张学良下野出国》、《王造时书信沉浮》、《欧阳予倩离沪秘记》、《外国人演中国戏》、《宋庆龄拒住重庆黄山官邸》、《王明爬绳梯》、《吴佩孚抵死不肯当汉奸》等等。

为做好《笔记》的编辑工作，上海市文史研究馆成立了由王国忠馆长领导的编辑委员会，由馆员（以姓氏笔划序）华道一、沈北宗、周退密、姜豪、胡嘉、祝文光、赵而昌、梁立言、彭古丁、戴广德诸老参加。叶广成、邝佩连、沈飞德、徐建恒等同志也襄助工作，不辞苦辛。

初稿甫成，复荷特约编审刘北汜、蒋路二位审阅全稿，并提出了不少中肯意见，谨此致谢！

笔记内容，首重信实。为使本册质量达到要求，我们在编辑过程中也作了一些核实和订正的工作。但毕竟水平有限，疏漏之处，仍不能免。热诚希望读者指正，提出意见，以期改正。

编　者